С

НЕПОБЕЖДЕННЫЕ

Нелегкий путь обыкновенных женщин
и их необыкновенная вера

Киев
Брайт Букс
2019

ОЛЯ ЯРОШ
Непобежденные. Нелегкий путь обыкновенных женщин и их необыкновенная вера. – К. : Брайт Букс, 2019. – 240 с.
ISBN 978-966-426-245-0

В этой книге собраны истории женщин. Некоторые из них – современницы автора, другие говорят к ней со страниц Библии. Вместе вы можете пережить их радости, горе, сомнения и победы и, возможно, по-новому прочитать давно знакомые библейские рассказы. Каждая глава этой книги, как и каждая женщина, – уникальна и может повлиять на вашу жизнь сегодня.

Фото на обложке: М. Орлова

ТОВ «Брайт Стар Паблишинг»
А/с 194, Киев 02002, Украина. Тел.: (044) 593 2061
info@brightstar.com.ua
Свидетельство ДК №3990 от 23.02.2011

ISBN 978-966-426-245-0

ОГЛАВЛЕНИЕ

Благодарность 4

Вступление 7

Предисловие. «Здесь был Вася» 9

1. Мамочка. Вера Надежды 15

2. Иохаведа. Победы рабов 29

3. Анна. Ты – мне, я – Тебе 45

4. Юлечка. Песнь дочери 63

5. Ева. Жизнь после смерти 79

6. Агарь. Вопль по горизонтали 95

7. Света. Свет ее души 113

8. Есфирь. Красота, вырвавшаяся наружу 129

9. Марфа. Страх vs вера 145

10. Оксана. Дважды замужем за одним 165

11. Дочери Салпаада. Наследство без наследника 179

12. Ноеминь. Новое начало в горькой судьбе 195

13. Бабушка. Верность до края земли 213

14. Бег в режиме замедленного действия.
Два года назад 229

Заключение. Марафон 235

БЛАГОДАРНОСТЬ

Я никогда не написала бы этой книги, если бы не встретилась с Богом и меня не окружало мое облако свидетелей. Поэтому хочу выразить бесконечную благодарность моему Небесному Отцу, моему Спасителю Иисусу Христу и Святому Духу.

Я благодарна любимому мужу Василию Ярош за любовь, поддержку и веру в меня. Ты – мой самый близкий человек на свете.

Я благодарна вам, мои сокровища и благословения от Бога в моей жизни, мои дочери и сын – Катерина Анна, Пол Вильям и Арианна Джой. Вы – мое вдохновение, моя поддержка и моя радость! Люблю вас всем сердцем!

Сорок два года любви, принятия и молитв обо мне – признательность, благодарность и восхищение моими родителями. Павел и Надежда Окара, вы – мой пример и поддержка.

Лучшие из лучших подруг навсегда – мои родные сестры – Веруся, Анечка, Ирочка и Настена. Честные, искренние, жертвенные, вдохновляющие и всегда любящие! Люблю вас!

Все мои родные и друзья! Благодарю Бога за каждого из вас, за ваш след в моем сердце, за благословения и уроки, за радость и слезы. Только завершив наш жизненный путь, мы вполне узнаем, как, чем и когда мы благословили, обличили, зацепили, отточили, залечили, утешили, подтолкнули и вдохновили друг друга.

Моя жизнь прекрасна благодаря вам, все вы оставили добрый след в моей жизни!

Сергей и Оля Окара, Алекс Окара, мужья моих сестер – Юра, Валентин и Миша; вторые родители Василий и Антонина Ярош, дедушка Николай и бабушка Валя Окара, дедушка Миша и бабушка Маша Никоновы, прадедушка Федя и прабабушка Оля, все мои дяди и тети, тетя Нина Гончар, тетя Лида, Таня Катасонова, Лена Гаврилова, Таня Мак-Нетт, Аня Шагин, Ларри и Элси Даннхауер, Керри Сукорефф, Херб и Вернетт Кристенсен, Фрэнк и Джинжер Мартин.

Моя церковная семья – Василий и Аня Чеховские, Андрей и Оля Литвин, Иван и Юля Коваленко, Майк и Света Линчевские, Алекс и Вера Мищук, Валера и Света Матвеевы, Алик и Вера Бражкис, Андрей и Илона Степины, Виталик и Таня Понкратовы, Роман и Маргарита Фомины, Алекс и Алена Чеховские и все, чьи имена не перечислены здесь, но вы в моем сердце.

Дорогие женщины, о которых я уже написала или мечтаю написать! Ваша жизнь вдохновляет меня, и верю, она вдохновит тех, кто прочтет ваши истории, – мамочка, бабушка, Света Линчевская, Юля Овчинникова, Оксана Трофимчик, Элси Даннхауер, Лиза Маковский, т. Наташа Накул, Неля Боцян, Жанна Шевченко, Наталья Бондаренко, Энджел Хэнсон, Алена Голосинская, Светлана Спивакова, Юля Петровский,

Тоня Дацкий и многие-многие другие, с кем соприкасались наши жизненные пути.

Вы – мое облако свидетелей!

Отдельная и особенная благодарность Ларисе Жибрик, которая не только предложила мне записать эти истории и опубликовать их, но вдохновляла и поддерживала меня в этом процессе. Искренне благодарю Вас за Ваши мудрость, терпение и любовь.

ВСТУПЛЕНИЕ

«Так как вокруг нас облако свидетелей, отбросим то, что мешает нам, а также и грех, который так легко пристает к нам, и с терпением и упорством последуем предназначенным нам путем. Не отведите своего взора от Иисуса, Того, Кто ведет нас за собой в вере нашей и Сам совершенен. Ради той радости, что ожидала Его, Иисус принял смерть на кресте, презрев позор распятия, и теперь занял Свое место по правую руку от престола Божьего. Подумайте о Том, Кто вытерпел такое поругание со стороны грешников ради того, чтобы вы не ослабели духом» (Евреям 12:1–3, Современный перевод).

Жизнь – это путь. Две самые значимые даты в нашей жизни и тире между ними – краткое и наиболее точное отображение его. У всех нас разные маршруты и протяженность этого путешествия, но для каждого без исключения это стипль-чез, такой барьерный бег с препятствиями.

Мне кажется, одна из самых удачных уловок врага – это ложь о том, что мы одни, что мы первопроходцы, нас никто никогда не поймет и никому до нас нет дела. Но это неправда! Слово Божье полно уверений в том, что Небесный

Отец любит безгранично, Иисус доказал эту любовь, и Духом Святым Он не просто с нами, а в нас. И этот Дух напоминает нам: восклони голову, посмотри вверх, посмотри по сторонам – тебя окружает целое облако свидетелей!

Я пишу эти строки, и если вы их читаете, – мы с вами еще в пути. Много чего пройдено, и один Бог знает, что ждет каждого из нас впереди. Но меня всегда вдохновляли и продолжают вдохновлять известные с детства библейские истории женщин с очень разными и зачастую непростыми судьбами. Трудности, испытания, страдания, болезни, смерть близких – все это были попытки сломить и уничтожить веру, любовь и надежду. Но все они остались непобежденными. Они так же ярко, как и мои современницы – моя бабушка, моя мамочка, мои подруги и те чудесные женщины, с кем я познакомлюсь, даст Бог, через несколько десятков лет, – говорят в мою жизнь со страниц Библии. Всех их объединяет одно – они лично и близко знали Того, Кто победил смерть и ад, и эта победа стала реальной в их жизни.

Господь говорит нам: «Смотри на облако свидетелей и с терпением продолжай свой путь». Иисус – Победитель, Он живет в нас, и это наша судьба – пройти наше поприще, похожее на бег с препятствиями, и остаться НЕПОБЕЖДЕННЫМИ.

ПРЕДИСЛОВИЕ

«ЗДЕСЬ БЫЛ ВАСЯ»

Суббота. Семья. Солнце. Подъем.

Мы впятером стоим на парковке у начала тропинки, ведущей в горы. Подъем на вершину с очень красивым названием – *Angel's Rest* – место отдыха Ангелов. Вид сверху обещает быть потрясающим. Читаем на информационном стенде: высота – 1450 футов (442 метра), что равно высоте 134-этажного здания, протяженность пути туда и обратно – всего 4,8 мили (7,7 километра). Всего 10 тысяч шагов? Легко! Мы выстраиваемся в наш походный «сэндвич», – привычка, сохранившаяся с тех пор, когда дети были маленькими и распределяли между собой, кто будет ветчиной, сыром, помидором и салатом; хлебом всегда была мама. Папа – впереди, дети – посередине, мама – в конце, следит, чтобы никто не потерялся.

Мы с энтузиазмом начинаем подниматься по тропинке, вьющейся среди высоченных вечнозеленых красавиц елей. Через полчаса слева открывается крутой склон, лишенный растительности и усыпанный крупными острыми серыми глыбами. Передергиваю плечами от неприятного чувства, глядя на скалу справа и представив себе случившийся здесь камнепад. Дети с восторгом показывают вниз – там парковка и наша кажущаяся отсюда малюсенькой машина. Как мы так быстро оказались настолько высоко?

Еще через несколько минут слушаем шум водопада, чуть позже переходим через ручей, потом с диким визгом отскакиваем, потому что прямо перед нами тропинку не спеша переползает метровая черная змейка с желтой полоской на спине. Бр-р-р-р. Посыпались вопросы: «Мам, становится жарко, ты уверена, что надо подняться на самый верх? Мы точно взяли с собой достаточно воды? А обратно же еще спускаться нужно будет, мы сможем?»

Мы остановились на полпути на большой площадке с видом на макушки елок, чтобы отдышаться, под нами – 84-е шоссе. На стволе огромного дерева какой-то турист выцарапал свое имя. Чуть ниже кто-то повторил его «подвиг». Все, как в нашем детстве на далекой Родине. Тогда для многих было просто обязательным «увековечить» свое имя не только на достопримечательностях, но и в кабинках лифтов, на заборах и дверях подъездов надписями типа: «Здесь был Вася».

Я говорю детям о том, что видела в Фейсбуке фото нашей близкой знакомой Анютки, – там она со своим сыном и дочкой на вершине этой скалы. Свою одышку я оправдываю тем, что Анютка младше меня лет на десять с хвостиком, а вот дети наши одного возраста. Так что никаких отговорок – мы точно идем до конца!

Пока мы стоим, мимо нас проходят, продолжая подъем, пара с собаками, семья с двумя малышами, одинокий суровый дед, потом очень худенькие парень и девушка, видимо, студенты или туристы из Азии, – щебечут на китайском и много фотографируют. В основном все идут вверх, но кто-то уже спускается вниз. Они были там, на вершине. Анютка была там. Значит, и мы сможем подняться.

И мы поднялись, и, сидя на краю этих огромных скал, смотрели на величественную реку Коламбию внизу, разделяющую штаты Орегон и Вашингтон. И с высоты 134-го этажа смотрели на горный хребет по другую сторону реки и на одиноко стоящую вулканическую скалу Бикон-Рок, подъем на которую мы уже осилили пару месяцев назад. Хотелось просто молчать и впитывать в себя эту красоту. Потом, встав в полный рост, раскинуть руки и пропускать через себя быстрые потоки теплого летнего воздуха. Эта пара часов подъема, жара, четыре змеи и острые камни – ничто по сравнению с наградой.

Усталость. Неизвестность. Опасность. Страх. Бороться с препятствиями в пути нам помогает осознание того, что кто-то был здесь до меня. Мы можем учиться у тех, кто прошел этот путь до нас.

Гималаи. Эверест. Можно читать истории о тяжелом покорении вершин альпинистами, о невероятных трудностях, которые они преодолевают: недостаток кислорода, холод, ветер, сходы лавин. Эти истории полны страшилок о замерзших трупах вдоль горных троп. Кто-то совершил этот подвиг, а кто-то не дошел. Некоторые вовремя повернули назад, другие, продолжив путь, уже не вернулись обратно. Мы можем учиться даже у тех, кто потерпел неудачу. Учиться тому, как не надо поступать. Мало кто из нас решится покорить Эверест, и мы в душе убираем эту историю на полку: не пригодится, это не для меня.

Но у каждого из нас пятьдесят два раза в году неделя начинается с понедельника и, наполненная вторниками и четвергами, в награду за прожитые будни заканчивается субботой, когда любой может осилить небольшой подъем на гору за городом. Вот это о нас, простых смертных, это доступный нам героизм. Анютка и Оля смогли, значит, я тоже поднимусь.

В нашей власти выбор пути, которым мы пойдем, в нашей власти остановиться, сверить карты и изменить маршрут.

Конечно, речь не о походе в горы, а о нашем жизненном пути. Жизнь – это движение: старт начинается в день рождения, и до дня смерти абсолютно каждый человек идет, движется. Не от нас зависит исходный пункт, мы рождаемся, имея разные исходные данные. Но в нашей власти выбор пути, которым мы пойдем, в нашей власти остановиться, сверить карты и изменить маршрут.

Многие спотыкаются, падают, кто-то сбивается с пути, не имея ориентиров. Одни знают, куда идут, и достигают цели, другие тратят годы, идя кружным путем. Но абсолютно каждый человек нуждается в попутчиках, в ободрении и вдохновении, в примере для подражания. И именно такие примеры и поддержку мы получаем от окружающих и находим на страницах Библии. До нас доносится: «Не падай духом, не слабей душой, ты пройдешь свое поприще, ты сможешь!» Глядя на тех, кто прошел до тебя, и взирая на Иисуса, а очень часто это два в одном – когда мы видим Иисуса в тех людях, которые идут по жизни впереди нас или рядом с нами сегодня, мы укрепляемся.

Посмотри на облако свидетелей вокруг себя!

1

МАМОЧКА. ВЕРА НАДЕЖДЫ

Бабушка и дедушка дали моей маме имя, которое ей очень подходит, – Надежда. Еще больше ей подходит тройное имя – Вера-Надежда-Любовь, впрочем, именно это мы и подразумеваем, когда называем ее мамой.

Маме 31 год, и она беременна пятым ребенком. Есть два сына и две дочки, кто же будет этот малыш? Кажется, это было совсем недавно, но тогда пол ребенка узнавали в день его рождения, а увидеть малыша родные могли только через неделю – после выписки из роддома. В роддом мама взяла с собой пеленки, белое одеялко, белый кружевной «уголок» и две скрученные в рулончик ленты: красную – если родится девочка, и синюю – если мальчик.

Анечка родилась 28 сентября 1986 года – это была здоровая и красивая девочка с огромными голубыми глазами.

Последние месяцы беременности были тяжелыми. И не только потому, что было жаркое лето, сильные отеки на ногах и много забот в многодетной семье. На самом деле приготовление пищи, уборка и стирка отошли на задний план. День и ночь мама вынашивала под сердцем дочку, а на руках носила умирающего от рака сына.

3 августа Антошке исполнилось 4 года. Это был его последний день рождения.

Когда ему было полгода, родители заметили странный желтовато-фосфорный свет в его глазках. Прием у детского доктора, срочное направление к окулисту и страшный диагноз – «ретинобластома». Рак обоих глаз. Выход один – операция в Москве по удалению глаз. Но врачи утверждали, что организм девятимесячного младенца не выдержит такой операции. А когда ребенок подрастет и окрепнет – делать операцию будет поздно. То есть выхода нет. Так считали врачи. А мы молились и просили Бога исцелить Антошку.

Я помню постоянные молитвенные собрания в нашем доме – долгие, громкие и искренние. Иногда я вместе со всеми стояла на коленях в зале (я и сейчас закрываю глаза и вижу узор нашего коричневого паласа). Иногда в веранде – так мы почему-то называли прихожую – я мыла пол, поднимая одну за другой пары черной обуви и вытирая из-под них воду и грязь от осенней слякоти, потом от растаявшего снега, потом от весенней слякоти. Я и сейчас, закрывая глаза, вижу этот голубой кафель – маленькие квадратики плитки, уложенные руками нашего папы.

Мои мечты были о том, как вся наша улица, нет, весь наш город увидит чудо исцеления и покается. Многие годы спустя я поняла, что это и была самая настоящая детская вера в чистом виде. Я не просто надеялась на исцеление Антона, я была уверена в этом. Я просто знала, что Бог исцелит его, – это был единственный возможный вариант. Нам только нужно было дождаться чуда.

Антошка узнавал по голосу не только членов семьи, но и наших частых гостей. А когда уже лежал, узнавал каждого из нас по шагам в коридоре.

Антон ослеп сначала на один глаз, а в два года – полностью. Он узнавал по голосу не только членов семьи, но и наших частых гостей. А когда уже лежал, узнавал каждого из нас по шагам в коридоре. Мы все помним наш старый набор деревянных цветных карандашей. Их было штук шесть или восемь, и нам, детям, казалось чудом, что он определяет их цвет на ощупь. Взрослые понимали, что потеря зрения обострила его слух и осязание.

Мой старший брат учился игре на фортепиано в музыкальной школе и на слух подбирал все церковные псалмы и песни, которые слышал. Антошка знал многие наизусть, но его любимая была:

«Радуйтесь со мною, люди,
Нет сомнения, я спасен.
Пусть весь мир твердит иное,
Знаю, я Христом спасен».

До сих пор не знаю, кто написал эту песню и, кроме как в детские годы, нигде и никогда ее не слышала. В прошлом году мой старший брат прилетел из России в гости. Мы собрались поужинать с его семьей. Пока я накрывала на стол, он сел за фортепиано в столовой и начал щекотать мои нервы мелодиями из нашего детства. Вокруг активно общались наши, в общей сложности, семеро детей. Я несла из кухни в столовую очередное блюдо, и вдруг у меня перехватило дыхание и сжалось сердце от нахлынувших эмоций, когда зазвучало: «Радуйтесь со мною, люди». Я так и застыла в дверном проеме и, почти плача, крикнула: «Сергей, пожалуйста, не надо! Нельзя так резко, без наркоза!» Годы не обезболивают, не притупляют остроты ощущений.

За несколько месяцев до рождения Анечки мы с мамой поехали в специальный магазин, где ветераны войны и многодетные родители могли купить то, что было недоступно остальным, – сыр, вареную колбасу, гречку. Норма была 1 килограмм в месяц на шесть человек. Но это было до поступления гуманитарной помощи и до начала перестройки. Мы были очень благодарны.

Это был тот очень редкий случай, когда мы с мамой выбрались куда-то вдвоем. После продуктового магазина я уговорила ее зайти в «Детский мир», находившийся неподалеку. То было время, которое можно описать словами, понятными лишь тем, кому за сорок: «голые полки», «выбросили», «достали». Тогда большая часть того, что мы покупаем сегодня, не задумываясь, относилась к категории «дефицит». С тоской и слабой надеждой мы ходили по полупустому магазину, и вдруг в детском отделе я увидела белую рубашечку с черными пуговичками. Я сразу даже не поняла, почему мама сомневается, что нужно ее купить Антону. Потом она объяснила: «Доченька, Антошка наш всегда дома, он лежит, ему удобнее в мягких фланелевых». Я очень хорошо помню, как убеждала маму купить эту рубашку: «Мама, ведь очень скоро Господь исцелит Антона, а у него совсем нет выходной одежды, чтобы пойти в церковь!» Моя мама купила рубашечку.

Возможно, взрослые понимали, что Антон слабеет и умирает. Я видела, как увеличивается опухоль, помогала ухаживать за ним. Ему уже никто, кроме мамы, был не нужен, и мы только подкладывали чистые тряпочки под похожую на вторую голову, кровоточащую и зловонную огромную уродливую рану. Но я даже не догадывалась, что он умирает.

Только когда у мамы начались схватки, за Антошкой начал ухаживать папа. Через неделю после родов мама снова заменила осунувшегося и похудевшего за это время папу. Молоко у мамы пропало почти сразу. Слава Богу, Анечка была спокойным ребенком. Ее кроватка стояла в спальне родителей, Антошку переселили в зал на разложенный диван.

В декабре мне исполнилось 11 лет.

13 января был холодный снежный вторник. Я пришла из школы, папа в это время был в гараже. Я поздоровалась и хотела зайти в дом, но он остановил меня: «Доченька, мне нужно что-то сказать тебе...» Удивительно устроена наша память – она хранит не просто даты и факты, но и многое другое, связанное с этими событиями: тон голоса, запахи, цвета и чувства. Чувства, острота которых не имеет ограничения по сроку годности.

Я пишу это тридцать лет спустя... Но, окунаясь в воспоминания, мне кажется, что я так же дрожу от холода, ощущаю запах бензина и какого-то машинного масла из открытых настежь ворот гаража, и в ответ на мой вопросительный взгляд слышу чужой папин голос: «Антошечка наш умер». Дальше провал. Потом обрывки моих истошных криков: «Нет, не может быть, нет, нет, не-е-е-е-т! Бог обещал, Он исцелит. Нет!!!»

Потом я в доме, где очень тихо, все разговаривают шепотом. Я дрожу от холода, который никогда в жизни не подступал так близко к нам, – холода смерти. В зале этим самым утром перед школой мы вдвоем с мамой переворачивали с одного бока на другой уже не поднимавшегося Антошку – одна держит голову, а вторая тело. Раз, два, три – поворачиваем очень нежно и аккуратно.

Прошло всего восемь часов... Антошка лежит причесанный, в новой белой рубашечке с черными пуговичками. В той самой, которую я тогда присмотрела ему.

Мама не кричит, смирение так очевидно даже в ее скорби. Три месяца после родов. Много месяцев практически без сна. Как она держалась на ногах? Как теперь это пережить? Где искать ответы на все вопросы, как объяснить случившееся детям? Как объяснить самой себе? Неужели теперь у нее не два, а один сын и три дочки? Нет, она никогда не «отминусует» его от общего количества своих детей. Просто теперь один ее сын на небе.

Мама никогда не «отминусует» Антошку от общего количества детей. Просто теперь один ее сын на небе.

Поздняя ночь, но никто не может спать. Я сижу и смотрю, как мой дедушка, пастор, он же художник и скульптор, очень красивыми золотыми буквами пишет на крышке гроба текст из Библии, из Книги Откровение: «Блаженны умирающие в Господе». Я перечитываю слово «умирающие» и спрашиваю дедушку: «Разве не должно это слово писаться через "е", ведь проверочное слово "смерть"?» Дедушка смутился, достал Библию, проверил и продолжил работать. Ну ладно, пусть пишется через «и», но почему же они блаженны? Потому что больше не страдают и не болеют? Разве может быть разлука с родными блаженством?

Тот январь был очень морозный. Был долгий путь сначала пешком по дороге, потом в кузове грузовика, на городское кладбище на горе, расположенное на возвышенности, за жилыми микрорайонами. Кто-то говорил о том, как хорошо сейчас Антону на небе с Иисусом. Перед тем как закрыли крышку гроба, папа подошел совсем близко, положил обе руки на худенькое тельце сына, и в какой-то момент мне показалось, что он сейчас поднимет его, прижмет к себе, и Антон оживет.

Потом мы со старшим братом почему-то стояли на коленях прямо на глыбах промерзшей земли. Голубой гробик, много красных гвоздик, уродливая глубокая яма, потом ужасный звук молотка, забивающего огромные гвозди в крышку. И все…

Первые годы после смерти Антона были наполнены переживаниями о папе – сердечные приступы, предынфарктное состояние, госпитализации. Среди ночи мама будит нас с братом, и мы бежим к знакомым на соседнюю улицу, у которых есть телефон, будим их и просим вызвать «скорую». Мы стоим у калитки и невыносимо долгие минуты ждем машину «скорой помощи». Один раз я схватила за руку сонного врача, слишком медленно выходившего из «скорой», и буквально потащила его в дом со словами: «Скорее, помогите папе!»

А как же мама? Как она пережила это? Кто поддерживал ее, кто помогал ей? Никогда в жизни я не слышала, чтобы ее называли сильной женщиной или яркой личностью. Она была тихой, смиренной, не требовала к себе внимания. Мама редко жаловалась на что-то и часто плакала, изливая душу в молитве. Ни разу в жизни она не сказала ничего против Бога, ка-

> Никогда в жизни я не слышала, чтобы маму называли сильной женщиной или яркой личностью.

жется, она всегда любила Его, принимала Его любовь и передавала ее нам.

Через два года после Анечки она родила Ирочку. Еще через два – Настю, и через три – Сашу. Два сына и пять дочерей. И один на небе. Каждый день она просыпалась и проживала этот день для других. Она не замыкалась в своей боли и не выставляла ее напоказ, не пыталась вызвать жалость к себе.

Я должна жить ради других детей.

Я должна радоваться с ними, им и ради них.

Почти двадцать лет спустя я сама стала мамой. И в какой-то момент задумалась о том, как моя мама смогла пережить выпавшие на ее долю трудности. Теперь я знаю, что такое выносить ребенка: почувствовать его первое шевеление, гладить растущий животик, мечтать о нем, молить Бога о том, чтобы только все было хорошо. Родить – увидеть и полюбить с первого взгляда. Нет, наверное, отцы начинают любить с первого взгляда. Мы, матери, любим свое дитя уже в утробе, беспредельно и навсегда.

Как это невыносимо тяжело – видеть страдания своего сына; понимать, что ничем не можешь ему помочь; а потом видеть его смерть. Как это пережить? Откуда берутся силы?

Как это невыносимо тяжело – видеть страдания своего сына; понимать, что ничем не можешь ему помочь; а потом видеть его смерть. Как это пережить? Откуда берутся силы? Как можно потом снова вынашивать и рожать детей, шить им кружевные шапочки и распашонки, перешивать старшим девчонкам юбки из своей? Как это возможно? Только укрепившись верой.

Я же говорила, что маме больше подходит тройное имя – Вера-Надежда-Любовь.

> Мамина вера в Бога – это не просто признание факта Его существования. Результатом ее живой веры и было настоящее доверие Богу.

Ее вера в Бога – это не просто признание факта Его существования. Возможно, не зная всех теологических терминов, мама просто всегда верила в Его суверенитет, в Бога Всеведущего, Всезнающего и Всемогущего. Результатом ее живой веры и было настоящее доверие Богу.

Маме только что исполнилось 63 года, она прекрасно выглядит, очень активная, еще более позитивная и всегда радостная. После десятка лет разлуки мы теперь живем не только на одном континенте и в одной стране – наши дома стоят на расстоянии полутора километров друг от друга. С годами мамочка еще больше усовершенствовала свое кулинарное мастерство – мои дети просто обожают заезжать к бабушке.

Она печет нам хлеб, готовит самые вкусные на свете пельмени, вареники и голубцы.

Огород с картошкой, помидорами и огурцами остался в прошлом. Теперь весь ее двор и лужайка перед домом засажены благоухающими цветами. Ее позитив и любовь распространяются даже на растения, кажется, они просто не могут не цвести. И пока дети поедают все вкусности, мама делает мне кофе, и я жду, когда она сядет рядом и будет делать то, что умеют очень немногие, – внимательно меня выслушает. Она слушает очень терпеливо и понимающе, ей всегда есть что сказать, но делает она это в подходящий момент. Ее слова всегда полны веры. «Кроткое наставление на языке ее» – это как раз про нее. Перенеся немало испытаний и потрясений в жизни, мама смогла не только сохранить веру, но и передать ее нам. Сейчас она передает ее нашим детям.

• УРОКИ ЖИЗНИ •

О БОГЕ. Суверенитет Бога – это не просто еще один пункт в длинном списке атрибутов Бога. Это такая же реальность, как Его вездесущность и благость. Бог – не Санта-Клаус и не волшебник, принимающий наши заказы и пожелания о том, как лучше устроить нам комфортную жизнь. Бог – Царь царей и Господь господствующих. Бог творит то, что хочет в Своем изволении. А нам предлагает верить и доверять, что **«любящим Бога, призванным по [Его] изволению, все содействует ко благу» (Римлянам 8:28).**

О СТРАДАНИИ. Иногда самые глубокие раны не так кровоточат и не доставляют нам столько страданий, когда мы не сосредоточиваем все свое внимание на них. Когда мы не зацикливаемся на себе и на том, как больно нам. Когда живем для других, отдаем жертвенно себя и свою душу, а потом, оглядываясь назад, сами недоумеваем: кто и как облегчил эту боль? Боль и страдание – часть нашей земной жизни, но не всегда так будет. **«И отрет Бог всякую слезу с очей их, и смерти не будет уже; ни плача, ни вопля, ни болезни уже не будет, ибо прежнее прошло» (Откровение 21:4).**

О ЖИЗНИ. В настоящий момент может быть совершенно непонятно, почему и для чего то или иное событие произошло в нашей жизни, но в генеральном плане Бога это должно было иметь место. В жизни всегда будут вопросы без ответов. Мы сейчас смотрим как сквозь тусклое стекло не только на истины Писания и великие тайны мироздания, но и на собственную жизнь. Но придет тот момент, когда все встанет на свои места и больше не будет вопросов. Это будет за порогом смерти, когда мы сможем посмотреть на свою земную жизнь сверху. **«Теперь мы видим как бы сквозь [тусклое] стекло, гадательно, тогда же лицем к лицу; теперь знаю я отчасти, а тогда познаю, подобно как я познан» (1-е Коринфянам 13:12).**

О ВЕРЕ. Что может разрушить мою веру? От чего она становится сильнее или слабее? «Но я же верила!» – иногда разочарованно восклицаем мы, недоумевая, почему не получили ответа на молитву. Наша вера в Бога должна превышать веру в получение каких-то благ от Него. В Послании к Евреям мы читаем о тех, кто **«умерли в вере, не получив обетований, а только издали видели оные, и радовались, и говорили о себе, что они странники и пришельцы на земле...» (Евреям 11:13).** Они не получили того, что им было обещано, но они умерли не в разочаровании, а в вере в Бога!

О НАС. Удары жизни могут либо сломать или убить, либо сделать нас сильнее. Они могут свалить с ног, прижать к земле и почти растоптать, – если мы позволим и если мы сдадимся. Но всегда есть шанс подняться, потому что внутри нас живет суперсила Живого Бога, Который плачет с плачущими и **«дает утомленному силу и изнемогшему дарует крепость» (Исаия 40:29).**

2

ИОХАВЕДА. ПОБЕДЫ РАБОВ

Ранним субботним утром три девушки приехали на Тушинский аэродром под Москвой. Совсем недавно там открылся аэроклуб, в перечень услуг которого входил и модный скайдайвинг – прыжки с парашютом. Не знаю, решилась бы я прыгнуть, будучи замужем и имея детей, но тогда меня ничто не удерживало. Жажда острых ощущений и хорошая компания – моя сестра Вера и подруга Лариса – превозмогали страх.

Нас было чуть больше двадцати человек в каждом вертолете, почти для всех это был первый прыжок. Инструкторы решили, что мы способны буквально на лету схватывать информацию и моментально запоминать все детали, и потому не томили нас долгой подготовкой. Я запомнила только одно – чтобы не сломать ноги, при приземлении нужно держать их вместе согнутыми в коленях. В итоге ноги остались целы, но, очевидно, я выпустила из внимания ту часть инструктажа, где говорили о необходимости тянуть на себя нижние стропы после приземления, и в результате парашют, раздуваемый ветром, протащил меня по полю с хорошей скоростью, отчего на руках и ногах остались ссадины на память. Но приземление не было самым сложным моментом в этом интересном для меня опыте.

Смотрю на фото, сделанное там: мы стоим у вертолета в смешных разноцветных касках, на мне, конечно же, красная – мой любимый цвет. Никаких комбинезонов нам не выдавали, мы смешно смотримся, затянутые ремнями по всему телу, и в таком виде идем к вертолету. Мы практически единственные девушки в этой большой компании парней и мужчин и пока еще шутим и улыбаемся. Но вот вертолет набирает высоту, потом открываются огромные двери, и внутрь этой темной металлической бочки врывается страшный рев, поток света и холодного воздуха.

А дальше все происходит очень быстро, и только по мере приближения к огромной открытой пасти все вдруг будто замедляется и наступает момент осознания. Мысли, напротив, проносятся с невероятной скоростью, и, перекрикивая шум, создаваемый огромными лопастями, я пытаюсь повторять их вслух: я уже не уверена, что хочу прыгать. Но, похоже, меня никто не слышит. Инструкторы начинают готовить нас к прыжку. Мы стоим, выстроившись в ряд. Каждые несколько секунд крепкий парень, который делает это в трехсотый или трехтысячный раз, кладет руку на плечо очередному искателю острых ощущений и с громогласным «Пошел!» выталкивает его в никуда.

Честное слово, я и сейчас закрываю глаза и вижу эти квадратики полей, речку, лесок и жилые районы вдалеке. Все это наблюдала в буквальном смысле с высоты птичьего полета. Ноги становятся ватными, кажется, меня подташнивает, мне нужно сесть. Можно, вы меня, пожалуйста, отвезете на землю? Я оглядываюсь на девчонок, смотрю в их глаза, потом вижу, как впереди стоящий мужчина делает шаг вперед, вернее, вниз, и освобождает для меня место в дверном проеме. Своими одновременно дрожащими, ватными и негнущимися ногами я делаю пару шагов вперед, потом на плече ощущаю крепкую руку того же парня, слышу «Пошел!», и, с ужасом глядя вниз, я делаю шаг прямо в воздух.

Первые три секунды лечу камнем вниз. Вот оно, ощущение свободного полета! Нет, поверьте, мне хватило этих секунд, такое не забывается. А потом раскрывается купол парашюта – и наступает эйфория. И необыкновенная тишина. И неописуемый восторг. Я осознаю, что парашют пристегнут ко мне, и нет нужды, так крепко вцепившись, держаться за стропы. Я разжимаю побелевшие от напряжения пальцы, потом широко расставляю руки, потом мне хочется и кричать, и петь, и плакать – я одна здесь в небе, я лечу! Вот так резко меняются мои эмоции: на борту вертолета я была полна страха и неуверенности, и вот падаю вниз с вос-

Ситуации, в которых нужно сделать шаг вперед и прыгнуть в неизвестность, возникают внезапно, без предупреждения.

торгом и наслаждением. Наверное, так произошло потому, что вместе с новым для меня ощущением полета я испытала восторг от победы над собой и своим страхом.

Несомненно, прыжок с парашютом – это блажь и не является чем-то необходимым. Речь не об этом. Победа над собой – вот это важный навык и однозначно необходимость. Ситуации, в которых нужно сделать шаг вперед и прыгнуть в неизвестность, возникают внезапно, без предупреждения. А навык этот развивается в мелочах, через маленькие будничные победы. Ведь победа над собой может проявляться, когда мы постимся каждую среду, когда сдерживаем поток обидных слов или претензий и даже когда попросту отказываемся от десерта. Победа над собой мне кажется одной из самых сложных, но она открывает путь ко многим другим победам.

Победа над собой мне кажется одной из самых сложных, но она открывает путь ко многим другим победам.

Одна из известных библейских историй – это жизнь Моисея. Это один из самых ярких персонажей Ветхого Завета. Первый законодатель. Но за каждым великим мужчиной стоит не менее великая женщина. Несомненно, это так, и ею была его мать!

Иохаведа – великая женщина веры, одержавшая в своей жизни много духовных побед. Это женщина, которой Бог доверил родить и воспитать троих детей, каждый из которых сыграл огромную роль в истории. Ее старший ребенок, дочь Мариам, была смелой, сильной натурой, обладавшей пророческим и поэтическим даром. Аарон – основоположник рода первосвященников, был «устами» Моисея в переговорах с фараоном. Моисей – освободитель, первый законодатель в истории человечества, сильный лидер, добрый заступник народа и близкий друг Самого Бога.

Когда мы читаем начало повествования о Моисее в Книге Исход, то не находим там имени его матери. Написано: «…жена…» И лишь в Книге Числа 26:59, в родословии, мы впервые узнаем имя жены Амрама – Иохаведа, дочь Левиина. И она родила Амраму Аарона, Мариам и Моисея.

Ее жизнь была непростой и в то же время необычной, потому что жила Иохаведа в сложные времена, в чужой стране, где все евреи были рабами, со всеми вытекающими отсюда последствиями. Но даже будучи рабой, она сама определяла, подчиняться существовавшим законам или довериться Богу, потому что была не просто женой и матерью, но женщиной, знавшей Бога

Но даже будучи рабой, Иохаведа сама определяла, подчиняться существовавшим законам или довериться Богу, потому что была не просто женой и матерью, но женщиной, знавшей Бога Живого.

Живого. Трудно было преодолеть себя и складывающиеся обстоятельства, но она смогла сделать это.

Давайте рассмотрим те пять важнейших побед, которые она одержала в жизни.

1. Победа над страхом

Иохаведа узнает, что станет мамой в третий раз, в ее душе появляются смешанные чувства. У нее уже есть 12-летняя дочь и 3-летний карапуз сын. Кажется, в этот раз не должно быть предпочтений, какого пола родится малыш. Но с того момента, как поняла, что беременна, она не перестает молить Бога о том, чтобы только родился не сын! Пожалуйста, только не мальчик! Пусть это будет девочка…

Женщина живет в Египте – процветающей державе, достигшей пика своего развития. Появляются новые города, строятся огромные пирамиды, но Гесем уже перенаселен еврейскими рабами.

Детям перед сном родители рассказывают истории об Аврааме, Исааке и Иакове; часто упоминают об Иосифе и о том, как избранный народ Всевышнего Бога оказался в Египте. И эти рассказы вызывают вопросы. А точно второй после фараона? Было это на самом деле или просто миф? Сейчас-то все по-другому. На обожженных под жарким солнцем спинах заживают шрамы от плетей египетских надсмотрщиков, ежедневная норма выработки кирпичей едва выполнима. Рабы на грани бунта, они вопиют к своему Богу.

Обеспокоенный положением дел фараон очень хочет уменьшить мужскую часть рабов, при этом не ограничивая своих запросов в строительстве. Ему нужны евреи как рабы, а не как воины. Когда не сработал план контроля над рождаемостью с помощью повивальных бабок, на смену им пришли более деятельные египетские воины.

...Стоны изможденных работой мужчин смолкли, слышался только крик объятых страхом беременных женщин и дикий вопль матерей, из рук которых вырывали новорожденных мальчиков. Они не думали, что рабство может стать еще страшнее! Прекрасный Нил, который кормил их рыбой, стал кладбищем для их сыновей...

Девять месяцев борьбы со страхом. Иохаведа родила здорового ребенка. Скованная страхом, она боится спросить: «Дочь или сын?» Потому что это будет означать: жизнь или смерть? Она увидела ответ в глазах повивальной бабки – там было сочувствие и сожаление. Дальше – вопрос времени. Все очень хорошо знали, как это происходит в густонаселенной земле Гесем. Разве можно спрятать новорожденного малыша, когда вокруг рыщут ищейки фараона, готовые за вознаграждение выдать еще одну семью, скрывающую младенца?

Мать взяла на руки своего сына, посмотрела на его крошечное лицо и вдруг увидела что-то. Конечно же, дитя прекрасно! Но, кроме черных слипшихся завитков, карих глаз и

Но, кроме черных слипшихся завитков, карих глаз и милого еврейского носика, ей открылось что-то большее: великая судьба ее сына и вера в Великого Бога.

милого еврейского носика, ей открылось что-то большее: великая судьба ее сына и вера в Великого Бога. В долгом взгляде, которым обменялись Иохаведа и Амрам, больше не было страха. Там была твердая решимость и уверенность в Божьей защите. Мы не отдадим нашего сына! На смену страху пришла вера, и именно поэтому он был скрываем целых три месяца! Через полторы тысячи лет Иисус скажет подобные слова женщине, верившей, что если она только прикоснется к Его одежде, то получит исцеление от многолетней болезни: «…вера твоя спасла тебя…» Но и там, в семье рабов, Он был посреди них, и их вера спасла их сына.

В Послании к Евреям есть глава, посвященная подвигам героев веры. И там написано о них: Моисей был скрываем верой. Верою его родители не устрашились царского повеления.

2. Победа над обстоятельствами

Прошло три месяца. Дальше скрывать ребенка было невозможно. В любой момент могли прийти воины. У кого спросить совета, с кого взять пример? Никто не был в такой ситуации до этого. Она думала, молилась и решила сохранить жизнь ребенка. Может, и ты, дорогая читательница, делаешь так же? И если пришла жизнеутверждающая мысль – осуществляй ее. Это Бог говорит твоему сердцу, как это было и с Иохаведой.

Если пришла жизнеутверждающая мысль – осуществляй ее. Это Бог говорит твоему сердцу.

Мать своими руками плела корзинку, взглядом сверяя ее размер с мирно сопящим рядом малышом. Какой контраст – тишина в комнате и такие громкие голоса, звучащие в мозгу: «Ты сумасшедшая, он же утонет! Нил кишит крокодилами! Тебя поймают по дороге к реке! Легче было потерять его, когда он только родился! Ты не сможешь опустить его в воду!» Иохаведа погладила пухлую щечку и прошептала слова веры: «Мой прекрасный сын. Особенная судьба. Великий Бог!»

Завернув сына в одеяло, она положила его в осмоленную корзинку и вместе с Мариам отнесла к реке и опустила в воды Нила. А дальше – все как в сказке: там была и настоящая принцесса, и милая еврейская девочка, так кстати оказавшаяся рядом и предложившая найти кормилицу для ребенка. Но главное – было чудесное избавление, ведь Ангелы не только львам пасти закрывать умеют, но и крокодилам.

И снова Иохаведа держит на руках своего ребенка, она кормит грудью приемного сына дочери самого фараона и шепчет: «Мой прекрасный сын! Особенная судьба! Великий Бог!»

3. Победа над собой

Пять лет пролетели слишком быстро. Да, она благодарила Бога за возможность вскармливать и растить своего сына. Его родные были рядом, когда прорезались первые зубки, когда он сделал первые шаги и сказал первые слова. Мама смогла вложить в его сердце любовь к Богу и любовь к своему народу, которая уснет на время, но пробудится для Великого Исхода.

Мальчик становился старше, приближался страшный час разлуки. Сколько раз Иохаведа тайно надеялась, что за ним не придут, что принцесса забыла о мальчике, и вся эта история с усыновлением случилась только для того, чтобы спасти его от смерти. Так оно и было, только план спасения был намного грандиознее – он включал в себя не только Моисея, но и сотни тысяч его собратьев.

Чтобы отпустить сына во дворец, Иохаведе нужно было одержать самую нелегкую победу – победу над собой. Она должна была смириться, довериться Богу и сказать слова, которые повторит Мария перед лицом неведомого будущего: «Я – раба Господня. Да будет мне по слову Твоему».

Не просто это – смириться и ожидать обещанного Богом долгие сорок лет, когда сын был вдали от нее. В то время, когда Моисей наслаждался роскошной жизнью во дворце, получал блестящее образование, с гордостью смотрел

Не просто это – смириться и ожидать обещанного Богом долгие сорок лет, когда сын был вдали от нее.

на недавно построенные пирамиды и города, строил планы на свое светлое будущее, она могла только молиться о нем.

4. Победа вместо поражения

«Моисей вернулся! Я знала, я всегда верила, что он вспомнит о нас и поможет. Услышал Бог вопль Своего народа, избавление так близко!» – кричало сердце Иохаведы, когда она увидела сына. Бог всегда слышал их вопли и молитвы, но Моисей еще не был готов вывести свой народ из рабства. Пустыня, по которой ему нужно было идти еще сорок лет, была испытанием и для его матери.

Вместо избавления, кульминацией молитв и сорока лет ожидания стала катастрофа. Это недоразумение, этого просто не может быть! Кого разыскивает фараон? Моисея угрожают убить?! Куда он убежал? Он сможет вернуться? Во мгновение ока сын Амрама и Иохаведы потерял все – привилегии царской семьи и даже веру в него братьев-евреев.

Полная неизвестность о жизни Моисея в следующие долгие четыре десятка лет. Материнская любовь дает силы преодолеть многое. Иохаведа не сдается даже перед лицом поражения и неизвестности. Она поддерживает его там, в пустыне, своими молитвами и своей верой. Она продолжает шептать в молитве: «Мой прекрасный сын! Особенная судьба! Великий Бог!»

Возможно, Иохаведа никогда больше не увидела Моисея, не дожила до того дня, когда он вернулся, чтобы вывести из рабства ее и свой народ. Но она не сдалась, они все ждали его – и мать, и отец, и Аарон, и Мариам.

И пока Моисей проходит духовную переплавку и подготовку к исполнению своей миссии, вера его матери осуществляет ожидаемое. Вера, победившая разочарование.

5. Победа, которая передается по наследству

Наследственность – это что-то большее, чем цвет глаз, рост или форма носа. Передаваться могут и такие качества, как целеустремленность, твердость характера, воля. Возможно, с молоком матери, в буквальном смысле, Моисей впитал то, что помогло ему стать истинным лидером, добрым пастырем своего народа, – настрой никогда не сдаваться. Он даже не рассматривал таких вариантов, как оставить эту затею, сдаться, вернуться назад.

Много всего произошло за сорок лет странствования по пустыне огромного количества рабов, обретших свободу, но еще не научившихся ею пользоваться. Сколько раз они предавали Бога, спасшего их, и Моисея, который посвятил свою жизнь заботе о них. Нехватка воды, еды, жара, постоянные сборы и перемещения огромного лагеря – поводов для

Наследственность – это что-то большее, чем цвет глаз, рост или форма носа. Передаваться могут и такие качества, как целеустремленность, твердость характера, воля.

ропота и недовольства всегда было много. Неудивительно, что в Библии Моисей назван «кротчайшим человеком на земле», ведь десятилетиями нянчиться с парой миллионов постоянно недовольных евреев – действительно подвиг.

Интересный эпизод описан в 32-й главе Книги Исход. Моисей на горе общается с Богом. Это важнейший момент в истории всего человечества, когда Сам Бог дал Десять заповедей. Их общение началось с того, что Бог объявил о том, что Он будет их Богом всегда и сделает их, жалких рабов-евреев, «царством священников и народом святым» (см.: Исход 19:4–6). Кроме Десяти заповедей, Бог дал множество постановлений и указаний: о святилище, о поклонении Ему, о быте и повседневной жизни, о санитарии и этикете отношений. Любящий Бог позаботился обо всем, все предусмотрел: Он готовил народ к самостоятельной жизни, как орел учит своих орлят летать. Бог Сам сказал Моисею: «Я носил вас как бы на орлиных крыльях и принес вас к Себе». Они думали, что Он помог им уйти от врага и угнетения, но это была только часть плана, – на самом деле Господь влек их к Себе, Отец всегда жаждал общения с детьми.

И вдруг совершенно неожиданный поворот в этой истории. Гора покрыта облаком и мраком – гора дымилась, потому что Господь сошел на нее в огне. Народ знал, что Моисей там общается с Богом, но они устали ждать и уже не верили в то, что он еще жив и вернется. Люди собрались к Аарону и сказали: «Встань и сделай нам бога, потому что с этим человеком, который нас вывел, не знаем, что случилось». С «этим человеком», как его там зовут? Вы серьезно? Вы уже забыли саранчу, лягушек, мошек, тьму, град и смерть младенцев – все те египетские казни? Уже не пробирают мурашки при воспоминании о том, как вы шли по дну Чермного моря и прикасались к мокрым стенам из толщи воды? Вы просите Аарона сделать вам бога. Из чего, из сережек и колечек? Вы дальше пойдете за ним, веря, что идол поведет вас в землю, где текут молоко и мед, будет кормить и поить?

Не сложно понять реакцию Бога Всевышнего, торопящего Моисея спуститься с горы: «Развратился народ твой, который ты вывел из земли Египетской. Оставь Меня, воспламенился гнев Мой на них, истреблю их и произведу от тебя народ». «Аминь», – могли бы сказать многие, но не Моисей. Великий Исход – это только начало, и он не может закончиться таким поражением здесь! В душе этого 80-летнего мужчины была прописана программа победы: не терять надежды, не сдаваться, не отчаиваться. Разве можно не согласиться с Богом? Разве он посмеет спорить? Бог знает, что лучше! Но Моисей не привык сдаваться, он осмеливается перечить Богу, вернее, он становится ходатаем за свой народ.

Он стал умолять Бога и решился напомнить о Его же собственном обещании Аврааму, Исааку и Израилю. Моисей получил просимое: «И отменил Господь зло, о котором сказал», – и это тоже была победа. Это была победа сильного духом человека, который с детства был научен своей матерью не сдаваться, не отчаиваться и не мириться с обстоятельствами. Это была еще одна победа Иохаведы, осуществившаяся в жизни ее сына Моисея, унаследовавшего от матери сильный дух, несгибаемую веру и любовь к своему народу.

• УРОКИ ЖИЗНИ •

О БОГЕ. Бог любит людей. Именно Моисею Он впервые на страницах Библии открылся и сказал что-то о Себе. Бог неизменный, «вчера, сегодня и вовеки тот же». Эти слова остаются правдой сегодня, и они о том, как Он относится к нам. **«...Господь, Господь, Бог человеколюбивый и милосердый, долготерпеливый и многомилостивый и истинный, сохраняющий милость в тысячи [родов], прощающий вину и преступление и грех...» (Исход 34:6–7).**

О НАС. Победа над собою зачастую бывает самой сложной, особенно когда мы не понимаем обстоятельств, но смиряемся с волей Божьей и доверяем Ему. **«Притом знаем, что любящим Бога, призванным по [Его] изволению, все содействует ко благу» (Римлянам 8:28).**

О ЖИЗНИ. Неблагоприятные обстоятельства должны побуждать нас к поиску выхода и к действиям. Ждать, пока изменятся обстоятельства, – участь жертв этих же обстоятельств.

Бог руководит обстоятельствами, когда мы готовы действовать с Ним, делать шаги веры. **«...не поколебался в обетовании Божьем неверием, но пребыл тверд в вере, воздав славу Богу. И будучи вполне уверен, что Он силен и исполнить обещанное» (Римлянам 4:20–21).**

О ПОРАЖЕНИИ. Поражение в битве еще не означает поражение в войне. Те, кто не сдается даже перед лицом поражения, обязательно одержат окончательную победу. Вернувшиеся с поля сражения домой Давид и его люди стояли на пепелище разрушенного и сожженного Секелага, оплакивая жен, сыновей и дочерей, уведенных в плен врагом. Это было поражение, и оно могло привести к еще худшей трагедии.

Поворотный момент всегда приходит в тот миг, когда от своей боли, вопля и поражения человек переводит взгляд на Бога и ищет у Него совета и помощи. Это сделал Давид, это можем делать мы – даже когда теряем свои «Секелаги». **«Давид сильно был смущен, так как народ хотел побить его камнями... Но Давид укрепился надеждою на Господа Бога своего. И вопросил Давид Господа... И отнял Давид все, что взяли Амаликитяне...» (1-я Царств 30:6–7, 18).** Это была победа после поражения.

О СТРАХЕ. Победа над страхом может быть одержана верой. Бога привлекает наша вера, и в ответ включаются механизмы и процессы, делающие возможным то, во что мы верим. Очень часто то, что мы видим вокруг себя, диктует нам, во что верить. Очевидное, факты и цифры говорят так громко, что могут заглушить слова веры. Поэтому апостол Павел напоминает всем нам: **«...ибо мы ходим верою, а не видением...» (2-е Коринфянам 5:7).** И еще: **«Итак, вера от слышания, а слышание от Слова Божьего» (Римлянам 10:17).**

3

АННА. ТЫ – МНЕ, Я – ТЕБЕ

«Дай мне сына для Тебя»

Несколько лет назад я целый год, не снимая, носила одно украшение, которое было очень дорого для меня. Это тонкая цепочка с объемным сердечком из белого металла – нет, не платина, не белое золото и даже не серебро. Наверное, это было самое дешевое украшение из тех, что надарили мне родные за несколько десятков лет. Сердечко на цепочке было подарено вместе с ценником – пять долларов и девяносто девять центов.

Это был тот незабываемый период жизни, по которому я уже скучаю, – когда у нас было трое малышей, и они всегда были со мной. Сейчас уже, конечно, не помню, зачем именно я в тот день поехала в *T.J. Maxx*, один из моих любимых магазинов, где можно купить все, кроме продуктов: посуду, постельное белье, одежду, обувь, игрушки, украшения и парфюмерию. Пол очень похож на своего папу тем, что категорически не любит магазинов. И во время этих вынужденных походов он чаще всего сидел в тележке с книжкой. Девочки, соответственно, с точностью до наоборот, всегда рады помочь мне найти то, что нужно, а очень часто – что не нужно, но хочется.

Пока я искала то, за чем приехала, девочки ходили неподалеку. Потом я заметила, что они что-то прячут в руках и шепотом увлеченно что-то обсуждают. Я насторожилась, но продолжала наблюдать со стороны. Обычно они открыто приносят и показывают то, что хотят купить – для себя или для кого-то. Закралась нехорошая мысль, от которой сразу же отмахнулась, – я им очень красочно рассказывала, что такое воровство, что Бог все видит, что в магазинах есть камеры.

Но вот они подходят ко мне, глаза горят, рты до ушей, они вдохновлены какой-то нереально восхитительной идеей: «Мамочка, дай нам, пожалуйста, денег, нам очень нужно что-то купить, но это секрет!» Потом Пол откладывает книжку, они шепчутся вместе, я притворяюсь, что ничего не слышу и не вижу в маленькой ручке коробочку с торчащим ценником. Это было еще то время, когда на их дни рождения им дарили куклы, сумочки, наборы «Лего» и собственных денег у них не было. Ну, если рассудительный Пол поддерживает их идею и они трое готовы сами идти к кассе… Я открываю кошелек и протягиваю им двадцатку.

Наблюдаю за ними на небольшом расстоянии и из-за спин утвердительно киваю в ответ на вопросительный взгляд кассира. Аря стоит на цыпочках и, двумя руками держась за прилавок, активно участвует в процессе. Кассир протягивает им коробочку, но они просят пакет и тщательно заворачивают в него подарок. Мы заканчиваем делать покупки, дети в приподнятом настроении, а я подогреваю его своими периодическими вопросами и нелепыми догадками о том, что же они купили и для кого это.

Мы приехали домой, они дождались папу и все вместе, не в честь праздника, без повода, в обычный осенний вторник, с огромной торжественностью вручили мне подарок – символ их любви ко мне. Нет нужды говорить, как сильно я была тронута. А когда муж спросил детей, где они взяли деньги на подарок маме, они невозмутимо ответили: «Мы у мамы попросили!»

Наверное, более прагматичным родителям это может показаться глупостью или игрой, и они объяснят детям, что это вовсе не подарок, если не ты заплатил за него или не сделал сам. Просить что-то у кого-то с той целью, чтобы отдать это обратно? Наверное, такое свойственно только детям или очень смиренным людям.

«Мамочка, дай мне денег, я куплю тебе подарок», – это не абсурд, это движимый любовью порыв сердца.

Мне очень нравятся настоящие жизненные истории обыкновенных людей. Истории без всяких прикрас, истории, записанные так, как оно есть. Мы учимся больше всего именно у героев таких рассказов, потому что узнаем в них себя и в чем-то хотим быть похожими на них. Наверное, поэтому мы так любим библейские истории, и порой несовершенство их героев как раз и привлекает наше внимание. Вот одна из них – история женщины, попросившей у Бога подарок, который она потом принесет в дар Ему.

Первое условие женского счастья – любовь и крепкий брак. Второе – дети. Второго не может быть без первого. Первое может быть разрушено отсутствием второго.

Первое условие женского счастья – любовь и крепкий брак. Второе – дети. Второго не может быть без первого. Первое может быть разрушено отсутствием второго.

Это история трехтысячелетней давности, но имеющая вечный сюжет: любовь и драматизм, боль и счастье; история одной семьи представителей относительно нового самостоятельного израильского народа. Всего триста лет назад израильтяне были рабами в Египте, а на тот момент они заселили города и деревни на плодородных равнинах, где текут обещанные им Богом молоко и мед.

Анне посчастливилось выйти замуж за очень порядочного мужчину – служителя, левита из колена Ефремова. Елкана очень любил Анну, нежно и трепетно заботился о ней.

Они с нетерпением ждали, когда Бог благословит их брак рождением детей.

Годы шли, а детей не было. Каждый месяц – молитвы, огромная надежда, потом очередное разочарование и горькие слезы. Анна знала обычаи того времени и со страхом ждала, когда Елкана начнет разговор на эту тему. Ему нужны были те, кто продолжат его род, наследники и помощники в семейном деле. Если жена не могла родить, мужчина брал себе еще одну. Иногда женщина давала мужу в наложницы свою служанку, чтобы избежать конфликтов и соперничества, так как двум хозяйкам сложно ужиться на одной кухне, в одной спальне и тем более в сердце одного мужчины.

Опасения Анны оправдались, и вместо долгожданного малыша в их семье появилась Феннана – вторая жена ее мужа. А с ее появлением у Елканы стали рождаться долгожданные сыновья и дочери. И казалось, все они теперь должны быть счастливы и довольны. У Анны был все так же преданно любящий ее муж; у мужа были дети. Но Феннана знала, что Елкана любит Анну больше, чем ее, – и это мешало ее счастью. А у Анны не было детей, и она страдала от этого даже с мужем, который утверждал, что он для нее лучше десяти сыновей. Но муж и дети – это ведь не взаимозаменяемые понятия. У одной есть любовь – нет детей; у второй есть дети – нет любви. Такой вот любовный треугольник, описанный в Ветхом Завете.

У одной есть любовь – нет детей; у второй есть дети – нет любви.

Каждый год благочестивый левит Елкана брал всю свою семью и отправлялся в Силом для поклонения Господу Саваофу. Только через сто лет Соломон построит великолепный Храм для поклонения Богу, а пока все ходили в Силом, там было место присутствия Бога. Там жил и служил при святилище богобоязненный священник Илий и его распутные сыновья. Здесь нужно остановиться и отдать должное Елкане.

Святилище переживало не лучшие свои времена. Ходили плохие разговоры о сыновьях Илия – Офни и Финеесе. Молодые парни настолько развратились, что полностью игнорировали ритуал жертвоприношений. Вкусная еда и женщины – все, что их интересовало, и все это происходило там, куда народ приходил на поклонение Богу. Они буквально отвращали людей от жертвоприношений. Все больше и больше праведные иудеи предпочитали нарушить повеление Бога о праздниках и жертвах, чем видеть нечестие в святилище и тем более поддерживать творящих это своими приношениями.

Праведники отказывались поддерживать коррупцию и разврат, но на самом деле лишали себя возможности поклониться Богу. Елкана все видел и, как левит, осознавал тяжесть греха священников. Но он знал, что идет в Силом не к Офни и Финеесу и даже не к праведному священнику Илию; он идет поклониться Господу Саваофу, и Ему он несет свои жертвы и приношения. И он продолжал делать это из года в год, как повелел им Господь через Моисея. Возможно, каждый год Анна видела нечестивых сыновей Илия и думала: «Если бы у меня был сын, я вырастила бы его для Бога и служения Ему. Если бы только у меня был сын…»

Очередной поход из Рамы в Силом – 14 километров пешком с двумя женщинами, несколькими маленькими детьми, ослом, нагруженным поклажей, и самыми лучшими овцами из их стада, предназначенными для жертвоприношения. Они идут исполнить заповедь, принести дары, поклониться Богу – это праздник для всей семьи. Для всех, кроме Анны. Нет, она, конечно, любит Бога и с радостью идет к Храму и с надеждой молится там каждый раз. Год за годом приходит и молится, каждый раз склоняясь все ниже и молясь все тише и тише. Потому что с каждым годом и с каждым новым ребенком Феннаны сердце Анны все больше сокрушается, и все чаще из глаз текут слезы.

Соперница. Заноза. Годы унижений и слез. Феннана мстила Анне за любовь к ней мужа. Анна не сплетничала, не жаловалась и не настраивала Елкану против второй жены. Возможно, он даже не подозревал о том, сколько презрения, обид и боли в отношениях его жен. Мужчины больше замечают факты и события, чем колкие комментарии, сарказм, взгляды и намеки, – все это может показаться мелочами одному, но причинять мучения другому.

Мужчины больше замечают факты и события, чем колкие комментарии, сарказм, взгляды и намеки, – все это может показаться мелочами одному, но причинять мучения другому.

Праздничный ужин после жертвоприношения. Уже несколько дней вся семья вместе, считая долгое путешествие и несколько дней праздника в Силоме. Столько вокруг друзей и старых знакомых! Они восхищаются подросшими за год сыновьями и дочками Елканы, рожденными ему Феннаной, и понимающе смущенно улыбаются, глядя на Анну. Они уже не задают вопросов, а просто молча жалеют ее. Жалеют еще больше, видя гордый взгляд высокомерной Феннаны.

Праздничный ужин, запах жареного мяса, веселая музыка и большое застолье благодарных Богу за урожай людей. Они тяжело работали весь год, молились о дожде, сеяли и пахали. Они собрали урожай и пришли почтить Бога, Который ответил на их молитвы и дал то, что они просили. Им легко радоваться, думает Анна, – они получили просимое. И уже сама не замечая того, она плачет. Еда, вино, дети на коленях мужа, музыка, друзья, Феннана с малышом на руках и ее презрительные взгляды, – Анна видит это все сквозь соленую пелену боли ее души, стекающую струйками слез по щекам.

К реальности ее возвращает недоумевающий голос Елканы, одной рукой поддерживающего сына на коленях, а второй обнимающего Анну за плечи: «Анна! Что ты плачешь и почему не ешь, и отчего скорбит сердце твое? Не лучше ли я для тебя десяти сыновей?»

Он спрашивает: почему и отчего? Как же он не понимает? Елкана, ты очень хороший муж, но муж и дети – это не взаимозаменяемые понятия! Я счастлива быть твоей женой, но одновременно несчастна, потому что не могу быть матерью твоих детей. Анна сдерживает рыдания, отодвигает от себя тарелку с двойной порцией самого лучшего мяса и тихонько выходит из-за стола.

Нельзя никого винить. Не стоит ожидать понимания. Сколько же еще можно терпеть на себе сочувствующие взгляды, которые вроде бы безмолвно, но в то же время очень громко говорят: бедная, однозначно на ней лежит какое-то проклятие или наказание. Иногда люди могут быть жестокими даже в проявлении жалости.

Анна возвращается в Храм, там непривычно тихо и пусто. Время жертвоприношения прошло, все исполнили долг и ушли праздновать. С одной стороны, легче шептать свои молитвы в святилище среди шумной толпы прихожан. С другой стороны, сейчас она здесь одна, и в ее распоряжении полное внимание Всевышнего. Анна не видит ничего вокруг себя, ее душа открыта, и там одна-единственная просьба, одна мольба, которой столько же лет, сколько ее замужеству. Душа кричит, губы едва шевелятся, не поспевая за потоком слов, и тлеющий уголек веры и надежды начинает разгораться.

Как ведро холодной воды, вылитой на этот разгоревшийся огонек, обрушились слова разгневанного священника Илия, украдкой наблюдавшего за ней и принявшего ее за пьяную. Как реагировать? Разве может Божий служитель

Душа кричит, губы едва шевелятся, не поспевая за потоком слов, и тлеющий уголек веры и надежды начинает разгораться.

с многолетним стажем настолько не разбираться в людях? Разве нельзя мягко, по-отцовски? «Вон из Храма, нашла куда пьяной прийти, иди, протрезвись!» – после подобного «наставления» надолго пропадет желание прийти помолиться, не говоря уже об уважении к такому «священнику».

Ложное обвинение особенно тяжело переносится. Если бы этот человек был более духовным, он правильно все понял бы. Не нужно было приходить сюда. Нет смысла даже разговаривать с ним. Сколько это будет продолжаться? Я, наверное, и правда, проклята, если всю жизнь натыкаюсь на стену непонимания. Это несправедливо! За что? Почему я???

Анна перечеркивает этот длинный список навязываемых ей невидимым врагом мыслей, отмахивается от стоящего рядом осуждения и захлопывает дверь своего сердца перед носом обиды и «праведного» негодования. Многолетние страдания и унижения не ожесточили ее, а научили смирению: «Господин мой, я не пила вина, я изливаю душу мою пред Господом. Это недоразумение, пожалуйста, не считай меня негодной женщиной».

Молодая женщина встречается взглядом с уже престарелым судьей Израиля, – и в дорожках от слез на ее лице, и в глубоких дорожках морщин на лице старика есть что-то общее: страдание. Она страдает без сына, он страдает из-за своих сыновей. И в этом святилище они получили выстраданный годами ответ, который станет

Она страдает без сына, он страдает из-за своих сыновей.

благословением для всего народа и благословением для каждого из них: «Иди, будет у тебя сын. Будет судья и священник в Израиле, который помажет неизвестного пастуха, впоследствии великого Давида на царство. Иди, Анна, с миром, Бог ответит тебе».

Беззвучный крик ее души достиг небес. Она не требовала справедливости, она молила о милости. Ее израненное страданием сердце прошло тест на смирение. А смиренным Бог дает благодать. И просящие у Него получают. Даже сыновей. Анна поверила священнику на 100 процентов. Она поверила, перестала плакать и начала радоваться – не через месяц, не тогда, когда появились явные признаки беременности, а тогда, когда получила обещание и приняла его.

Ее израненное страданием сердце прошло тест на смирение. А смиренным Бог дает благодать.

Затянувшийся ужин, остывшее мясо на тарелке, уснувший сын на руках Елканы. Временное исчезновение Анны мало кто заметил, а ее веселое настроение и давно забытый всеми звонкий смех, наверное, списали на действие вина и сикеры. «Радость в Господе – сила моя», – напевала Анна, нежно взяв у мужа спящего ребенка Феннаны и укладывая его в постель. Она несла его и не могла сдерживать улыбку, представляя, как очень скоро будет держать в руках своего сына.

В их случае оба значения его имени оказались верными в отношении и матери и сына – Бог услышал мать и дал ей сына, который будет слышать Бога.

Анна назвала своего первенца Самуил, что означает «Господь услышал», или «Слышащий Бога». В их случае оба значения его имени оказались верными в отношении и матери и сына – Бог услышал мать и дал ей сына, который будет слышать Бога.

Она исполнила свое обещание и привела сына к Илии: «Я – та самая женщина, которая здесь стояла и молилась, и исполнил Господь, чего я просила у Него».

Прошло всего несколько лет, она снова стояла в святилище в Силоме, но теперь не беззвучный шепот, а песня вырвалась из ее сердца. Гимн хвалы, в котором было ее личное откровение о Боге – не услышанное от кого-то или вычитанное в книжках, а пережитое. Именно этому Богу, Который услышал ее, Которого она воспела как Святого, Твердыню, Бога Всеведущего и дающего жизнь, – Ему она отдала своего долгожданного сына. Она ушла домой, чтобы возвращаться каждый год, заботиться о Самуиле и еще о трех сыновьях и двух дочерях, которых она родит любимому мужу.

Анна тысячу лет спустя

На страницах Библии, уже в Новом Завете, мы находим историю еще одной Анны. Их разделяла тысяча лет, и, на первый взгляд, у них так мало общего – совершенно разные судьбы. Что такого выдающегося должен был совершить человек, чтобы его заметили и записали историю его жизни на страницах Евангелия? Наверняка не только ее современникам, но и тысячам людей, читавшим в Евангелии кратко описанную историю ее жизни, судьба Анны Пророчицы казалась совершенно непримечательной. Возможно, даже неудачной.

Во все времена, в любой культуре большинство девушек мечтает о любви, счастливом браке, о детях, внуках и благословенной старости в окружении любимых. В те времена на Востоке девушки уходили из родительского дома под кров мужа очень рано. Если после смерти родителей их имущество переходило к детям-сиротам, то после смерти мужа на его имущество жена не имела никаких прав. У нее было совсем не много вариантов – она могла вернуться в отцовский дом или снова выйти замуж. В дофеминистическую эпоху женщины не были самостоятельными и самодостаточными, не имели возможности содержать себя. Поэтому вдовы автоматически попадали в категорию «нуждающихся», многие становились нищими и попрошайками. Именно поэтому апостолы, читаем в Новом Завете, уделяли много внимания заботе о вдовах и давали предписания о них и их служении в церкви.

Во все времена, в любой культуре большинство девушек мечтает о любви, счастливом браке, о детях, внуках и благословенной старости в окружении любимых.

Счастливое замужество Анны закончилось трагично – смертью мужа. За плечами – беззаботное детство, семь лет брака, и вдруг она – молодая вдова, бездетная одинокая женщина. Была ли у нее надежда на повторный брак? Можно ли было вернуться обратно в дом отца? Это останется тайной, а нам известно лишь то, что Анна избрала жизнь при Храме. Возможно, на момент вдовства ей было 25 лет, а когда она встретилась с новорожденным Иисусом в Храме – уже 84. Более полувека поклонения, постов и молитв в Храме день и ночь, более полувека практической, деятельной любви к Богу и к своему народу.

Когда Анна обнаружила, что Бог наделил ее даром пророчества? Кто увидел и признал в ней этот дар? Чем она занималась в Храме? В Евангелии написано, что она говорила о Нем всем, ожидающим искупления. Два свидетеля. Свидетельство двух – истина, говорит нам Писание. На восьмой день после рождения Младенца Иосиф и Мария принесли его в Храм, там Младенец был назван Иисусом после принесения ими жертвы по закону. Симеон и Анна, движимые Святым Духом, встретили там Мессию и подтвердили Его приход.

Каковы были шансы на то, что в многолюдном Иерусалимском храме Анна встретится с никому не известной провинциальной парой из маленького селения Назарет? Велики ли были шансы на то, что она узнает их и, более того, увидит в беспомощном новорожденном Младенце Мессию? Все иудеи ждали Избавителя и Мессию как сильного военного лидера, который освободит их от ненавистного ига Римской империи.

Пророк – это человек, который видит ситуации и людей так, как видит их Бог, и провозглашает послание от Бога. И в обычный будничный восьмой день после Рождества, среди блеющих овец и воркующих в клетках голубей, среди торговцев, паломников, священников, фарисеев и саддукеев, стояла старушка с младенцем на руках. Иосиф и Мария, уже привыкшие к чудесам и необъяснимым встречам за последний год своей жизни, молча и с огромным благоговением наблюдали за происходящим. Это не была первая встреча Анны с Богом, они очень близко знакомы, но это была встреча, которую она ждала всю жизнь. Своими ходатайственными молитвами она способствовала приходу Мессии в мир. 84-летняя Анна и Младенец Иисус восьми дней от роду – ее миссия завершается, Его миссия начинается.

Две Анны, молитвы которых в разные эпохи были похожими. Одна выпросила сына, который стал судьей и пророком. Вторая вымолила приход Сына Божьего в мир, Мессию. Две Анны, которые молились в Храме. Ответом на молитву каждой был сын. Сын, который стал благословением для многих.

Две Анны молились в Храме. Ответом на молитву каждой был сын. Сын, который стал благословением для многих.

• УРОКИ ЖИЗНИ •

О БОГЕ. Бог держит нашу судьбу в Своей руке. **«Господь есть часть наследия моего и чаши моей. Ты держишь жребий мой» (Псалом 15:5).** «Неудавшаяся» судьба – на нее можно посмотреть сверху и увидеть великое предназначение.

О НАС. Реакция на непонимание и ложные обвинения – лакмус души. При давлении из нас выходит то, чем мы наполнены. **«Кроткий ответ отвращает гнев, а оскорбительное слово возбуждает ярость» (Притчи 15:1).**

О ЖИЗНИ. Жизнь несправедлива. Плохие женщины беременеют и убивают своих нерожденных малышей. Хорошие – слезно просят детей годами и не могут родить. Многие обстоятельства нашей жизни не зависят от нас, но как мы реагируем на них – наш выбор. Когда трудно найти объяснение ситуации и есть много безответных вопросов, многие пытаются обозначить, кто виноват в их боли. Следующий шаг – комплекс, или синдром, жертвы. Все силы уходят на горечь и саможаление, а не на поиск решения. **«Бог же всякой благодати... Сам, по кратковременном страдании вашем, да совершит вас, да утешит, да укрепит, да соделает непоколебимыми» (1-е Петра 5:10).**

О СМИРЕНИИ. Если в сердце правильная почва и есть семя веры и надежды на Бога, слезы только поливают его. Придет время, и росток пробьется наружу. Он приведет тебя с праздника или из кухни в храм. Будет сезон, когда кто-то будет пировать и веселиться, а ты будешь плакать и молиться. Но **«сеявшие со слезами будут пожинать с радостью. С плачем несущий семена возвратится с радостью, неся снопы свои» (Псалом 125:5–6).**

О ВЕРНОСТИ. Верность – исполнить обещание. Когда мы чего-то очень хотим, то готовы на все и обещаем «золотые горы». Все обошлось, улеглось, приходят мысли: «Ну зачем такие радикальные меры?» Оставайся человеком слова и увидишь благословение. **«Лучше тебе не обещать, нежели обещать и не исполнить» (Екклесиаст 5:4).**

4

ЮЛЕЧКА. ПЕСНЬ ДОЧЕРИ

Черная «Тойота-Хайлендер» плывет по идеальному черному шоссе с двумя ярко-желтыми разделительными полосами посередине. Шоссе извивается едва различимой тонкой волосинкой на фоне огромного вечнозеленого массива лесов и гор прекрасного Орегона. С каждым поворотом открывается новый пейзаж, и я ворчу по поводу того, почему же так редко вдоль дороги встречаются смотровые площадки. Иногда я прошу мужа остановить автомобиль прямо на обочине и дать мне несколько минут, чтобы, выйдя из машины, я могла впитать в себя эту красоту, слишком быстро проносящуюся за окном.

Несколько лет моей мечтой было посетить сказочно красивое озеро в сердце Орегона – Крейтер (*Crater Lake*). Добраться туда можно только на автомобиле и практически только летом, так как с осени по весну в горах на подъезде к озеру лежит снег и дороги закрывают. Мы ждали, пока немного подрастут дети, чтобы эта пятичасовая поездка принесла всем радость. Вместо того чтобы поехать в отпуск в теплые края, тем летом мы запланировали бюджетное путешествие на машине по нашему западному побережью – Орегон и Калифорния. Наш первый пункт назначения – озеро Крейтер.

Мы живем на границе штатов Вашингтон и Орегон, потому по пятому шоссе направляемся на юг и через 50 миль поворачиваем на восток, в глубь материка. Повсюду озера, водопады, высоченные ели – мы просто читаем дорожные знаки, потом спонтанно решаем свернуть к неизвестному нам водопаду и делаем остановку. Любуемся, восхищаемся и удивляемся тому, что никогда и не подозревали об этих невероятно красивых местах. Но, как и большинство эмигрантов, первые несколько лет в новой стране мы много работали и мало путешествовали.

Потом, в ходе нашего путешествия, климат меняется, температура поднимается, ели становятся ниже и ниже, зеленая трава постепенно меняется на выжженную желтую, почва вокруг выглядит бордово-красной – это следы лавы многотысячелетней давности. Мы подъезжаем к кратеру огромного вулкана, похожего на прекрасную чашу, наполненную отражением синего неба.

В нашей машине есть *CD*-плеер, которым мы практически не пользуемся. Сейчас вся музыка закачана в телефоны, и дети по очереди подсоединяют к динамикам машины телефоны, включают свои любимые песни. Иногда мы слушаем музыку по радио. Последние пару лет в плеере стоит один диск с необычной музыкой. Этот диск мы включаем во время таких далеких путешествий, именно на природе, за городом. Всего 45 минут музыки и песен, но не таких, которые мы обычно слушаем, – не три куплета и припев. Диск записала группа *DUNAMIS*, близкие нам люди – Юлечка и Саша.

С Юлей мы познакомились в семье наших друзей и узнали, что она преподаватель вокала. Наша Катерина тоже захотела петь, и через несколько месяцев Юля начала давать уроки нашим детям. У меня не всегда получалось присутствовать на занятиях, но дети моментально влюбились в новую учительницу. Мы с мужем восхищались ее профессионализмом и очень красивым ярким голосом.

Прошло пару лет. Юлечка ушла в декрет на несколько месяцев и вернулась к занятиям после рождения дочки. Дети пели, играли, иногда участвовали в детской программе в церкви и всегда неизменно были рады видеть Юлечку. Почему дети любят учительницу, которая дает домашние задания и «растягивает» их? Наверное, правильнее сказать, дети любят не учительницу, тренера или пастора, – все дети любят тех, кто искренне и по-настоящему любит их.

Интересная личность наша Юлечка – зрелая, хотя еще такая молодая; талантливая, но не гордая; сильная, но не наглая; смиренная, но не раздавленная; открытая, но знающая границы. И еще она всегда радостная, позитивная и вдохновляющая.

Я общаюсь с ней на равных, иногда просто забывая, сколько ей лет. Но если бы я родила в 16, она могла бы быть моей дочкой. Все, кто узнают ее возраст, удивляются. Девушке не очень приятно, что ей «дают» больше лет, чем на самом деле. Я думаю об этом и еще раз внимательно рассматриваю ее красивое молодое лицо. Нет, это что-то другое, это глубже кожи. Это зрелость.

Я совсем не знакома с ее семьей. Каким было ее детство? Кто ее родители? Как они воспитали такую сознательную, трудолюбивую и добрую девочку? Как вложили ей любовь и уважение к людям? Только после десятков, а может быть, даже сотен занятий и визитов в наш дом и иногда совместных чаепитий дверь в ее прошлое слегка приоткрылась. Заглянув в нее, видишь совершенно не то, что представлялось раньше.

Где-то в далеком-предалеком поселке, на Дальнем Востоке России, стоит небольшой частный домик без водопровода. Девочка и ее младший братик живут с бабушкой и мамой-алкоголичкой. Папы нет, его не было никогда. Конечно, был мужчина, который дал жизнь этим детям, но никто не знал, где он.

Пятилетняя девочка играет на улице с подружками. Она возвращается домой и с ужасом видит сидящего посреди двора в грязной луже своего трехлетнего брата, плачущего то ли от холода, то ли от одиночества и страха. Она пытается отвести его домой, помыть, переодеть, и вместе до позднего вечера они ждут возвращения бабушки, которая позаботится о них.

Это было два десятка лет назад, но Юлия не то что помнит, она будто и сейчас стоит на своей улице и видит, как под руки ведут домой еле держащуюся на ногах очень пьяную маму. В ней живет смешанное чувство стыда перед подружками и одновременно сильной любви к маме. Она помоется, проспится, и все будет хорошо. Это моя любимая мамочка, она же одна у меня. Единственная.

В ней живет смешанное чувство стыда перед подружками и одновременно сильной любви к маме.

Девочке 8 лет, на нее мало обращают внимание. У нее есть блокнот, где она записывает свои мечты и желания. Загадай желание, детка. Загадай и запиши. 1. Хочу, чтобы мама не пила. 2. Хочу лошадь.

Пиши, Юлечка, желания ведь имеют свойство сбываться. Ты еще не знаешь Его, но Он уже там, рядом с тобой в твоей комнате. Потерпи, это все не напрасно, твои желания исполнятся. Мама не будет пить, она будет здорова и красива, и ты сможешь говорить с ней обо всем каждый день.

И даже если не будет у тебя лошадки с гривой и хвостом, в твоей красавице «Хонде» будет не один десяток лошадей! А пока еще несколько лет испытаний и закалки, но они не сломят тебя. Они сделают тебя сильной.

Говорят, родителей не выбирают. Юлечка пьет кофе в моей столовой и говорит: если бы мне дали возможность выбрать, я выбрала бы только ее, мою мамочку. Я оставила бы абсолютно все как есть. И те страшные для девочки-подростка драки, когда знаешь, что нет отца и нет старшего брата, за тебя некому заступиться. Но есть сильный дух внутри, и когда потребуется, есть сильные руки будущей пианистки, которые могут вцепиться в волосы и дать сдачи.

Она смутно пыталась разглядеть сквозь слезы валяющиеся на земле сломанные очки, а в ушах еще звучали обидные слова насмешников. А придя домой, вместо жалости, понимания и любви находила бардак после недавней попойки и спящих чужих людей, разделивших с мамой этот уродливый «праздник души» – души пустой и несчастной без Бога.

Кому излить душу, кому рассказать, чего я хочу, о чем мечтаю? Кому это интересно и важно? Девочка раскрывает свою душу в дневнике, но она зря думает, что это останется в секрете. Каждая строчка внимательно прочитана Тем, Кому это небезразлично и Кто может сделать намного больше того, о чем она думает и мечтает. И она пишет в дневнике, который, кстати, сохранился у нее по сей день: «Я люблю музыку. Я чувствую, что в музыке есть что-то волшебное, что-то необычное…»

А еще Юля поет. Пока хочет петь больше, чем реально поет. Ура, ее взяли в школьный хор. Понятное дело, лучшие места и лучшие партии для «лучших» детей. Мама не приходит на родительские собрания с подарками и не просит учителей обратить внимание на ее талантливую девочку. Юля с недоумением слушает жалобы одноклассниц на то, что нужно тащиться в музыкалку и заниматься, и когда родители уже перестанут заставлять их делать это? Занятия в музыкальной школе платные. Юля повзрослела слишком рано, она не задает дома глупых вопросов, ответом на которые будет уже известная фраза: у нас нет денег.

Но Божьи пути ведь неисповедимы, правда? Учитель музыки и пения записывает Юлечку для участия в вокальном конкурсе в Доме культуры и дает ей сольный номер. В жюри – директор музыкальной школы и местные предприниматели, один из которых обращает внимание на девочку в очках, которая выиграла гран-при. Он не может выбросить из головы этого ребенка. Директор музыкальной школы спрашивает учительницу, почему эта девочка не учится у них, и, когда они узнают причину, предприниматель принимает решение стать ее спонсором. И вот уже Юля – ученица музыкальной школы по классу фортепиано. Она учится играть на инструменте, которого у нее дома, конечно, нет.

А Отец, Который и дал ей талант и вложил желание учиться, – больше всего Он ждет встречи и личного знакомства с ней. И девочка-подросток из неблагополучной семьи с неровными зубками, косящими глазками и с большим сердцем, нуждающаяся так во многом, приходит в церковь, знакомится с Ним, и так начинается ее путь к трансплантации сердца. Путь к знакомству с Любовью, которая станет ей и отцом, и матерью, и старшим братом.

> Юля знакомится с Богом, и так начинается ее путь к трансплантации сердца. Путь к знакомству с Любовью, которая станет ей и отцом, и матерью, и старшим братом.

Она познакомилась с Ним, полюбила Его и приняла то, в чем нуждалась так сильно, – Божью любовь. В церкви Юля нашла не только Спасителя, там она обрела семью – братьев и сестер, и встретила высокого симпатичного парня – Сашу, за которого впоследствии вышла замуж. Саша играл на гитаре, они оба любили Бога всем сердцем и оба участвовали в музыкальном служении прославления. Через несколько лет они поженились, и молодая пара начала строить свою семейную жизнь на самом крепком основании – Бог и единство между ними, вопреки злым голосам, шепчущим, что дети повторяют несчастную судьбу родителей. Они твердо верили и знали, что все, доверившиеся Богу, освящены и благословлены Им – и муж, и жена, и будущие дети. Их жизнь – это не повторение чьей-то судьбы, но уникальная и благословенная судьба от Бога, Которому они посвятили себя.

Юля поступила в Хабаровский краевой колледж искусств, и несколько лет спустя она уже артист театра по академическому классическому пению. Сцена филармонии и театра, где она солировала в оперных партиях, – это было только начало. Саша с Юлей переехали в США, начали посещать поместную церковь, участвовали в музыкальном служении, писали музыку и песни. Они были счастливы делать то, что получалось у них лучше всего, и то, чем горели их сердца, – вести за собой людей в присутствие Отца, поклоняться Ему и славить Его. Господь подарил им чудесную доченьку Николь, и для них открылся совершенно новый мир – материнства и отцовства. А вскоре открылись еще одни двери, и наша оперная певица принимала участие в гала-концерте с оркестром в портлендском «Хэмптон опера центре» *(Hampton Opera Center, Portland)*.

При усыновлении и удочерении ребенка, после распоряжения суда и вынесения решения, ребенку официально присваивается фамилия родителей, и он становится их сыном или дочерью. Когда берут брошенных младенцев, этот процесс проходит легче – ребенок растет с ними. Его первые слова «мама» и «папа» и его первые объятия и любовь – все им, усыновившим его. Младенец даже может никогда не узнать, что не рожден ими. Однако когда усыновляют деток постарше, решения суда не достаточно, чтобы на самом деле стать сыном или дочерью, матерью или отцом. Это процесс знакомства, доверия, открытия своего сердца и души, процесс принятия. Библия говорит, что Бог через Иисуса усыновил и удочерил всех нас, и, наверное, каждый проходит свой путь знакомства с Отцом.

Годы спустя после обращения к Богу, после замужества, у Юли состоялась особенная встреча с Папочкой – с Тем, Кто удочерил и принял ее, Кому она исписала целые тетрадки своих молитвенных писем. Она была счастлива, но внутри еще жила та маленькая несчастная девочка, и раны прошлого иногда еще давали о себе знать. Ей нужна была духовная трансплантация, исцеление сердца – чтобы при воспоминании о прошлом оно не кровоточило, не сжималось от тоски и жалости к себе.

И во время той особенной встречи в тишине и уединении Отец Небесный как бы перенес ее в старый домик на Дальнем Востоке. Там она увидела маленькую испуганную девочку в грязном порванном платье. Девочка почему-то была в темном холодном чулане – нежилой пристройке к дому, куда никто не заходил. Сыро, темно и одиноко – как и в сердце человека, которому недодали внимания и любви. Но она никогда не была одна, Папа был там с нею, Он открыл дверь, взял девочку за руку и вывел оттуда. Навсегда. И она стояла рядом с Ним, в новом красивом платье, в теплой и светлой комнате, согретая чем-то большим, чем само солнце, – Его любовью. И это был Юлечкин исход в ее обетованную землю – приготовленную для нее судьбу еще за тысячелетия до ее рождения. Она забудет свой Египет, но она никогда не перестанет благодарить Того, Кто вывел ее оттуда, и никогда не перестанет петь Ему и о Нем.

Так вот, возвращаюсь к диску, хранящемуся в нашей машине. Это не песни в привычном для нас виде, это не просто текст, положенный на музыку, – это пение души. Это переливы, стоны и вопли, необычайно красивые и такие глубокие, что касаются самых дальних уголков моей души. Такое впечатление, что ни в красивом английском языке, ни в богатом языке Толстого, Достоевского и Пушкина просто недостаточно или вовсе нет именно таких слов, чтобы выразить то, что она чувствует. Я, не отрываясь, смотрю на горы, ели и озера за окном, и мне кажется, что это было написано здесь и должно петься именно здесь. Это песнь Творцу, не только создавшему прекрасный мир тысячелетия назад, но создающему новые сердца и новые судьбы сегодня.

> Такое впечатление, что ни в красивом английском языке, ни в богатом языке Толстого, Достоевского и Пушкина просто недостаточно или вовсе нет именно таких слов, чтобы выразить то, что она чувствует.

Что такое чудо? Самое настоящее, сверхъестественное, разбивающее физические законы и логику? Это когда слепые прозревают, когда на глазах окружающих у кого-то вырастают ноги, когда появляются новые органы и ткани. Кто не хочет увидеть чудо, а тем более испытать его?

У меня есть еще такое понимание чудес. В наше время, в век развития медицины, технологий и науки, нам доступно то, для чего сотни или тысячи лет назад требовалось чудо. В какой-то мере человек сделал прежде невозможное возможным сегодня. Но не все. Далеко не все. Есть что-то, что сегодня так же, как и две тысячи лет назад, может исцелить только Бог. Человек летит в космос, опускается на дно океана, делает сложнейшие операции по пересадке сердца, но ему не по силам из девочки-оборванки в темном чулане

> Человек летит в космос, опускается на дно океана, делает сложнейшие операции по пересадке сердца, но ему не по силам из девочки-оборванки в темном чулане сделать счастливую женщину.

сделать счастливую женщину. Нет таких инструментов и технологий, которые могли бы изменить сердце и мысли. Счастливой ее сделали не новые платья, ровные зубки, поставленный голос, успех или диплом. Счастливым новым человеком ее сделал Бог, Который есть Любовь. Она вывела ее с триумфом из того чулана. Она поставила ее на вершине той горы, где я стояла и любовалась необозримыми просторами. И Бог-Любовь сказал: «Доченька, это все твое. Я создал мир для тебя».

Видела ли я чудо? Да, много раз. И я являюсь свидетелем чуда, когда общаюсь с Юлей. Из ее прошлого можно было бы очень легко состряпать портфолио жертвы, всем рассказывающей историю своей несчастной жизни и питающейся жалостью и состраданием других. Но нет! Юля не просто создает впечатление образованной и талантливой девочки из очень интеллигентной семьи. Это реальность ее жизни. И да, где-то в дальневосточном городке живет ее любимая мамуля – очень красивая, стройная женщина

> Юля не просто создает впечатление образованной и талантливой девочки из очень интеллигентной семьи. Это реальность ее жизни.

со стильной прической, женщина, глядя на которую никто никогда не поверит, какой она была пятнадцать – двадцать лет назад. Юля постоянно звонит ей по скайпу, у них с мамочкой открытые, полные любви отношения. И намного ближе Дальнего Востока, совсем рядом – Папочка. Конечно, у нее самые лучшие родители!

Снова и снова я слышу: *Your name is above every other name* («Твое имя превыше всех имен»). Кажется, фразу *Your name* она готова петь бесконечно. В невыразимых словах и звуках изливается ее душа, исцеленная, полноценная, сильная – наполненная Любовью. А когда ей удается облечь свои песни в понятный всем язык, слагаются такие строчки:

«Не могу я молчать
О том, что сделал Ты.
Не могу я молчать
О том, Кто Ты есть для меня».

Не молчи, Юлечка, пой свою самую прекрасную песню на свете – песнь счастливой дочери.

Юлечка, вы так похожи с этим необыкновенным озером Крейтер, – вы как огромная чаша, наполненная до краев отражением неба.

• УРОКИ ЖИЗНИ •

О БОГЕ. Бог – наш Отец. Он может и хочет стать для нас всем – отцом и матерью, братом и сестрой. Наверное, все христиане знают это, и почти все каждый день обращаются к Нему со словами: «Отче наш, сущий на небесах». Иисус пришел, чтобы познакомить нас с Отцом и открыть, показать нам, какой Он. Каждый из нас в какой-то момент жизни получает это откровение об Отцовстве Бога, – и этот момент меняет нас навсегда. Потому что это откровение – это не знание факта на уровне интеллекта, оно приходит в сердце и меняет его навсегда, из «верующих = спасенных от ада» людей делая сыновей и дочерей. **«...и отцом себе не называйте никого на земле, ибо один у вас Отец, Который на небесах...» (Матфея 23:9).**

О НАС. Здоровая, полноценная личность – это, прежде всего, человек, который хочет быть здоровым. Несомненно, Бог послал Своего Сына, чтобы оживить наш дух, восстановить отношения с Отцом. Но жертва Иисуса Христа не только искупила нас от грехов, она открыла путь к душевному и физическому исцелению, к восстановлению и полноценной жизни с Богом. **«Сам же Бог мира да освятит вас во всей полноте, и ваш дух и душа и тело во всей целости да сохранится без порока в пришествие Господа нашего Иисуса Христа» (1-е Фессалоникийцам 5:23).**

О ЖИЗНИ. Невозможно быть счастливым, не научившись прощать. Непрощение – это ампутация крыльев жизни. Прощая, мы становимся подобными Богу, – Он делает это постоянно, безусловно и бесконечно. Мы часто забываем, что, прощая, мы делаем одолжение не столько обидчику, сколько освобождаем самих себя от обиды и горечи, способной разъедать изнутри, подобно яду, и отравлять жизнь. Легче простить, когда осознаешь, что прощение – это не отрицание того, что вас обидели; это не аннулирование чьей-то вины или ответственности за последствия; это не обязательство снова доверять обидчикам и иметь с ними дела. Простить – значит отпустить вину и отпустить от себя обиду. Прижатый к земле грузом обид и непрощения человек никогда не сможет взлететь и парить. А еще прощение – это повеление и заповедь Бога. **«И когда стоите на молитве, прощайте, если что имеете на кого, дабы и Отец ваш Небесный простил вам согрешения ваши» (Марка 11:25).**

О ТАЛАНТАХ. Бог наделяет каждого человека дарами, способностями и талантами, и Он дает желание их развивать. Наша ответственность в том, чтобы открыть и развить заложенные Богом дары, и наш выбор – как и для чего их использовать. В притче о талантах Иисус говорит, что Господин наделил всех разным количеством талантов, не было ни одного обделенного, каждый получил что-то. **«Дары различны, но Дух один и тот же; и служения различны, а Господь один и тот же; и действия различны, а Бог один и тот же, производящий всё во всех» (1-е Коринфянам 12:4–6).**

О МУЗЫКЕ. Музыка и пение – удел не только музыкально одаренных людей или хобби для желающих. Библия не только выделяет целую книгу как сборник псалмов или молитв, положенных на музыку, но и говорит о важности выражать свою душу и то, что мы чувствуем по отношению к Богу. Когда мы поем псалмы, мы делаем две вещи. Первое, мы выражаем хвалу, благодарность Богу, мы поем о Нем и Ему. Второе, мы назидаем друг друга. **«...исполняйтесь Духом, назидая самих себя псалмами и славословиями и песнопениями духовными, поя и воспевая в сердцах ваших Господу...» (Ефесянам 5:18–19).**

Однажды мне удалось увидеть, вернее, услышать процесс обработки аудиозаписи группы прославления в студии. Я присутствовала в зале при записи, группа звучала слаженно и красиво, и я воспринимала все как единое целое: сопрано, альты, тенора, клавиши, гитары, барабаны. В студии же каждый инструмент и каждый человек мог быть прослушан отдельно, потому что они были записаны отдельными треками. Помню, как ярко я услышала в своем сердце: именно так Бог слышит каждого из нас – будто всё остальное и все остальные замолкают, и Он слушает только меня, только мой голос, мою молитву и мою песню. И каким бы голосом и способностью петь я ни обладала, Он наслаждается искренностью выражаемых мною чувств. Не стоит превращаться в зрителя или слушателя, присоединяйся к общему пению, потому что Отец стоит рядом и слушает именно тебя!

5

ЕВА. ЖИЗНЬ ПОСЛЕ СМЕРТИ

Жить в Америке и не водить машину, наверное, возможно только в нескольких больших городах, таких как Нью-Йорк или Лос-Анджелес. Когда-то, в 18 лет, я получила водительское удостоверение в России и несколько раз проехала на папиной машине. Один раз, неудачно выезжая с парковки, поцарапала чужую машину разбитой об нее же фарой и крылом папиного нового «Москвича-2141». Папа починил обе машины без единого слова упрека, но я положила права на полочку до лучших времен.

А через десять лет мы с мужем оказались в Америке, и без машины обходиться в нашем городе не представлялось возможным. Василий принес мне книгу, чтобы я учила правила, а через несколько дней повез сдавать экзамен. Теоретический экзамен на знание правил я легко сдала, сделали фото с широко растянутым в улыбке лицом, получила разрешение, и мне назначили дату экзамена по вождению.

То ли российское водительское удостоверение на полочке слишком придало мне уверенности, то ли мой добрый и вдохновляющий муж, «покатавшийся» рядом со мной на пассажирском сиденье, перехвалил меня, но с первого раза я не сдала экзамена. Помню свою реакцию: мне было стыдно, я чувствовала себя вынужденной выяснить и всем рассказать причину своего провала. Инструктором была женщина, ну не понравилась я ей, вот и завалила. Я же езжу за рулем, муж рядом, дочка на заднем сиденье в автомобильном кресле – я реально умею водить машину. Во второй раз инструктором был мужчина, но я тоже не сдала вождения. И снова я в поисках причины и оправданий: в Портленде так много эмигрантов, не всем это нравится, инструкторы предвзято относятся, вот и завалили меня. Зачем намеренно давать мне команду повернуть направо там, где нельзя, – на улицу с односторонним движением в противоположную сторону?

Здесь что-то явно не то, я даже не хочу еще раз назначать дату экзамена. Сколько месяцев можно ездить по разрешению? Нет, все равно же придется сдавать когда-то, нужно что-то делать. Я спрашиваю мужа, почему не сдала. Он улыбается и пожимает плечами, явно намекая на то, что причину нужно искать мне самой. Я иду в Высшую Инстанцию и спрашиваю там. Потом осознаю, что виноватых искать не надо. Инструкторы делают свою работу, а я была просто невнимательна и, наверное, чересчур уверена в себе. Я каюсь. Добрый Господь прощает меня, и я еще раз говорю Ему, что все, абсолютно все в моей жизни от Него и с Его помощью. С третьего раза мы с Иисусом сдали вождение, – и с тех пор так и ездим вместе.

И до и после этого случая в жизни было много экзаменов, и, наверное, как у большинства из нас, первая реакция на «двойку» или «незачет» – это уже готовый список причин и отговорок. Все люди могут «переводить стрелки» и винить всех и все вокруг: президента, государство, законы, погоду, семью, друзей, обстоятельства, случай. И похоже, что привычка эта – перекладывать вину на кого-то – передается еще от первых людей на земле, от Адама и Евы. Но у них же мы можем поучиться и тому, как продолжать жить с последствиями своего выбора, своих ошибок. Как, преодолевая все, продолжать жить и нести жизнь.

Жизнь после самого большого фиаско в истории только что зародившегося человечества

Все мечтают о райской жизни, подразумевая достаток, покой и отсутствие проблем. Многие так сильно этого хотят, что готовы усердно работать полгода или даже целый год, чтобы ненадолго создать себе райские условия – вырваться из будней в заветный отпуск на пару недель. Солнце, песок, пляж и гамак между двумя пальмами – вот это райская жизнь! А если бы жить вот так всегда – двадцать четыре часа в сутки семь дней в неделю? Как бы это было? И при этом «все включено» – ни работы, ни болезней, ни стресса? Конечно, мы думаем, что уж мы сделали бы все, чтобы ничем не испортить такой жизни. Мы были бы благоразумнее Адама и Евы, поселенных в раю, но не справившихся с искушением и потерявших его не только для себя, но и для всех нас.

История жизни Евы – история женщины, на долю которой выпало, наверное, самое большое количество контрастов, шока и потрясений. Она была первой участницей трагедии, разделившей человека с Богом, и первой, продолжившей род человеческий. Через нее пришла смерть, и через нее же пришла жизнь. Это история первой женщины в мире, первой жены и первой матери.

Как все «начало быть»? Это миф, прообразы или реальные события, происходившие так, как это коротко описано в первых главах первой книги Библии – Бытие? За шесть дней созданы планета, солнце, луна и звезды, материки и океаны, растения и животные, и в завершение – человек? Первая и однозначно величайшая тайна мироздания остается тайной. Тысячелетия величайшие умы объясняли все это, написаны тысячи томов богословских трудов, но по-прежнему остаются тысячи не отвеченных вопросов. Это всегда будет оставаться тайной.

Непостижима нам любовь Творца, создавшего прекрасную Вселенную, повесившего Землю «ни на чем», и на этой невидимой в масштабах галактик точке, в самом центре ее насадившего прекрасный сад. И это все – подготовка сцены и декораций к появлению главного участника исторических событий, человека. Он – венец творения и кульминация этого творческого процесса.

> **«И сотворил Бог человека по образу Своему, по образу Божию сотворил его; мужчину и женщину сотворил их. И благословил их Бог, и сказал им Бог: плодитесь и размножайтесь, и наполняйте землю, и обладайте ею...» (Бытие 1:27–28).**

Какой была Ева? Она была однозначно совершенной, как и все, сотворенное Богом и отмеченное знаком качества «хорошо весьма». И жизнь их с Адамом была совершенной – ведь, не познав греха, они не знали, что такое претензии, обиды, оскорбления, зависть и непрощение. И мужа своего она видела совершенным и, наверное, была совершенно счастлива. Только немного наскучила ей эта совершенная жизнь, и захотелось, по-видимому, чего-то новенького и неизведанного.

Ева была совершенной, как и все, сотворенное Богом и отмеченное знаком качества «хорошо весьма».

А может быть, не хватало ей общения с мужем и ежедневного общения с Богом? Любознательный и пытливый ум жаждал новых познаний и новых переживаний, а поставленное Богом ограничение показалось лишним и ненужным – в конце концов, Он Сам создал их свободными личностями, а не запрограммированными роботами. Без наших интуитивных опасений и накопленного годами опыта и знаний змей не казался Еве творением, несущим соблазн, грех и проклятие. Ей он виделся интересным собеседником, он просто подталкивал ее задавать честные вопросы, подвергать сомнению слова других и элементарно иметь собственное мнение.

Некоторые вещи никогда не узнаешь, пока их не попробуешь. Как узнать, «подлинно ли», правда ли это? Здесь только два варианта: первый – зная Того, Кто сказал, и доверяя Его честности, верить в достоверность Его слов; второй – попробовать ослушаться и узнать на опыте. А если бы не было двух вариантов, то не было бы и свободы, потому что свобода подразумевает выбор. Поэтому и то злосчастное дерево росло там, прямо в центре прекрасного сада. Дерево, плодов которого не разрешено было вкушать, потому что вкусивший их человек умрет. Дерево, с ветвей которого, извиваясь, сползал хитрый змей, под шелест листвы шепчущий Еве гипнотизирующие слова клеветы на Бога и взывающий к тщеславию, гордыне и неизвестно откуда взявшемуся в совершенной душе желанию стать такими же, как Сам Творец.

Одно движение – и плод уже в руке Евы. Как только она поднесла его к губам и ощутила вкус, произошел, образно говоря, невидимый атомный взрыв, навсегда заразивший радиацией всех живущих на планете и в настоящее время, и в будущем. Вместе с соком и мякотью плода

Протягивая руку и срывая плод, Ева еще не знала, насколько велики будут последствия ее поступка и как долго будет звучать его эхо.

в ее тело, а потом и в тело Адама со скоростью света в каждую клетку проникал яд, медленно убивающий совершенные до этого тело и дух. Так появился грех, величайшая трагедия в истории человечества. Протягивая руку и срывая плод, она еще не знала, насколько велики будут последствия ее поступка и как долго будет звучать его эхо. Протягивая надкушенный плод своему мужу, она не знала, что сказанное «смертью умрешь» ей предстояло узнать не только в духовном смысле, не только испытать эту смерть на себе, но, что намного страшнее и больнее, увидеть, как смерть забирает родного человека, и ты не властен что-то изменить.

«Райский отпуск» оказался очень коротким, откуда-то изнутри души начали кричать доселе незнакомые голоса совести и самоосуждения. Бетонной плитой придавило их чувство вины, и вдруг эти прежде совершенные и прекрасные люди увидели свою наготу. И, увидев себя и друг друга обнаженными, они больше не ощущали себя совершенными. Кажется, что, воспользовавшись своей свободой, они навсегда потеряли ее. Потеряли возможность быть самими собой, ходить, не прикрываясь и не прячась; возможность открыто стоять в присутствии Бога и общаться с Ним. И это было только начало многих и многих их потерь. Потерь таких катастрофических и масштабных, что для восполнения

Потерь таких катастрофических и масштабных, что для восполнения их нужно будет уплатить только одну возможную цену, наивысшую во всей Вселенной, и цена эта – жизнь Божьего Сына.

их нужно будет уплатить только одну возможную цену, наивысшую во всей Вселенной, и цена эта – жизнь Божьего Сына.

Но это будет потом, а в тот момент им пришлось увидеть смерть животных, из шкур которых им была сделана одежда, и навсегда покинуть прекрасный Едемский сад. Как же так? Еще вчера Бог был так близок и с такой любовью общался с ними, а сегодня вход в Его присутствие закрыт и у райских врат стоит Ангел с огненным мечом. Этого просто не может быть, ведь этот сад был создан специально для них, и возделывать его – их жизненная миссия!

Резко появилось слишком много новых понятий: «болезнь», «смерть», «тернии и волчцы», «проклятие», «пот». Что все это значит? Раньше было наоборот – Бог приводил к Адаму животных, и тот сам называл их. А теперь они услышали какие-то новые слова, со значением и смыслом которых Адаму и Еве предстоит еще познакомиться на практике.

Началась жизнь за пределами рая, так сказать, рабочие будни. В поте лица и болезни. Ева родила Каина и Авеля. Она стала матерью, и да, она первая рожала и первая испытала последствие греха – «в болезни будешь рожать детей», но вместе с тем она первая испытала счастье и радость материнства.

Я представляю, как Адам и Ева растили своих мальчиков, как знакомили их с прекрасным, удивительным миром, передали им имена названных Адамом животных. Представляю, как они рассказывали им истории о прежней жизни в Едемском саду, о том, что у них есть враг, о грехе и его последствиях, о Боге-Творце. Возможно, они рассказывали им о том, о чем говорили с Богом в те прекрасные дни, когда вместе гуляли по саду в прохладе дня. Их же сыновья не знали той жизни.

Наверное, многие родители не раз недоумевали, глядя на своих двоих, троих детей: как они могут быть настолько разными? Мы же одинаково растили их, учили одному и тому же. Вот только учились они и слушали наши советы немного по-разному. И живут потом, соответственно, тоже по-разному – в силу принятых ими истин и принципов. Богу тоже поклоняются все по-разному, даже те, кто слушает одни и те же истории о Нем. Так и эти братья, сыновья Адама и Евы: вроде бы и знали о Боге, и оба служили Ему, но у каждого были свои мотивы. И Бог принимал их приношения, наверное, не по качественному признаку жертвы, а по мотиву сердец тех, кто приносил их.

«И призрел Господь на Авеля и на дар его, а на Каина и на дар его не призрел. Каин сильно огорчился, и поникло лицо его». Обычно многие останавливаются на этой фразе и думают, что трагедия между братьями произошла из-за реакции неуравновешенного Каина на тот факт, что Бог не принял его приношения. На самом деле Бог не просто не принял жертвы, Он сразу же завел с Каином разговор, объяснил причину и преподал ему урок. Мудрыми вопросами Бог обращал внимание Каина на то, что лежит у него на сердце, а не на жертвеннике. Бог подсказал ему, в чем проблема, и указал выход: господствовать над грехом, который подобрался уже очень близко к его сердцу.

Но Каин был уже третьим человеком на земле, наделенным свободой выбора. И он использовал эту привилегию, однако не прислушался к совету Творца, а пригласил своего младшего брата прогуляться в поле. **«...И когда они были в поле, восстал Каин на Авеля, брата своего, и убил его» (Бытие 4:8).**

Смерть Авеля. Что такое смерть? В Едемском саду нужно было ходить со словарем? Для новых людей в новом мире все было ново. Как ты можешь выучить новое слово, если совершенно не знаком с самим понятием? Как постичь, как объяснить то, что никогда еще не случалось в истории до тебя? Ева сидела на земле, держала на руках своего окровавленного сына и не могла разбудить его от холодного глубокого сна. Он не проснется никогда. Не сразу, но Ева поймет, что такое смерть, она познает горе и боль потери.

Не сразу, но Ева поймет, что такое смерть, она познает горе и боль потери.

Где явь, а где сон? Едемский сад был лишь

прекрасным сновидением, или, наоборот, то, что происходит сейчас, – это кошмарный сон? Как продолжать жить после появления смерти? Зачем? Для кого? Один сын мертв, второй – проклят и изгнан Богом. **«И пошел Каин от лица Господня и поселился в земле Нод, на восток от Едема» (Бытие 4:16).** И снова остались Адам и Ева вдвоем. Жизнь – она иногда такая, как «американские горки», совершенство и идиллия сменяются падением на самое дно, отчаянием и горем. Такой вот переход из рая – в ад на земле. Но нужно подниматься. Помните, что Бог заповедал вам? «Плодитесь и размножайтесь, и наполняйте землю и владычествуйте!» Вы сотворены по Его образу и подобию, значит, вы наделены способностью творить и давать жизнь.

«И познал Адам еще жену свою, и она родила сына и нарекла ему имя: Сиф, потому что, [говорила она], Бог положил мне другое семя вместо Авеля, которого убил Каин» (Бытие 4:25). Вот так, в одном библейском стихе, в одном предложении упомянуты ее трое сыновей и Бог, дающий дыхание и продляющий линию жизни. Она дала жизнь мальчику и имя, которое определило его судьбу – продолжить род, быть носителем Семени и Божественной жизни.

Как они давали имена своим детям? У них была хорошая практика. Адам мог сделать карьеру в области зоологии, давая названия сотням и тысячам животных, птиц и рыб. Одно дело – придумать название тому, что уже существует и что ты видишь перед собой. Совсем другое – услышать слово, но не видеть того, что им определяется.

Адам не называет Еву глупой, или несчастной, или обреченной на страдание; не называет ее причиной всех своих бед и неудач. Он дает ей очень позитивное имя – Ева, что значит «Жизнь»!

Возвращаясь назад, мы заметим, что после грехопадения и изгнания из рая произошло что-то очень примечательное. В Книге Бытие написано: **«И нарек Адам имя жене своей Ева, ибо она стала матерью всех живущих» (Бытие 3:20)**. Сразу после их духовной смерти и разлуки с Богом, после изгнания из рая Адам не упрекает свою жену в том, что это она дала ему плод, что она общалась со змеем и что ей пришла такая идея. Он не называет ее глупой, или несчастной, или обреченной на страдание; не называет ее причиной всех своих бед и неудач. Он дает ей очень позитивное имя – Ева, что значит «Жизнь»!

Это имя определило ее сущность. Она пережила смерть одного своего ребенка, но прошла через эту боль и страдание и продолжила давать жизнь, нести жизнь даже после встречи со смертью. Конечно, Адам не мог придумать лучшего имени для своей жены, имени, которое бы как нельзя лучше отражало ее сущность и ее главное призвание в жизни. Сиф тоже оправдал свое имя. Он принял от родителей веру в Бога и сердце, жаждущее общаться с Ним. **«У Сифа также родился сын, и он нарек ему имя: Енос; тогда начали призывать имя Господа» (Бытие 4:26).** Восстановились прерванные грехом связь и общение.

Бог всегда продолжал любить человека и желал общения с ним, Сиф услышал в своем сердце Его зов и откликнулся на него.

Бог всегда продолжал любить человека и желал общения с ним, Сиф услышал в своем сердце Его зов и откликнулся на него. И это был первый шаг в восстановлении потерянного человеком рая. Потому что раем Едемский сад делало не отсутствие тяжкого труда, колючек и сорняков, а постоянный доступ в присутствие Самого Бога. И как тяжелая для возделывания почва, так и сердца первых людей грубели и засыхали без Бога. Возможно, Сиф нащупал путь к Источнику живой воды, и за тысячелетия до призыва Бога через Иеремию «воззови ко Мне» третий сын Адама и Евы услышал это приглашение и воззвал, и научил своих потомков призывать имя Господне. И в этом они нашли для себя жизнь, которую передали Еноху, Ламеху и Ною – тем, кто верил и ходил праведно перед Богом.

• УРОКИ ЖИЗНИ •

О БОГЕ. Бог – Творец, и Он – Автор жизни. Если мы здесь, значит, это Его идея и замысел дать нам жизнь именно в этом тысячелетии и столетии, позволить нам родиться именно в этом городе и в этой семье. Поселить тебя в твоем собственном саду, который тебе нужно возделывать, – тоже часть Его плана. Даже если в нем растут тернии и волчцы и в поте лица приходится выкорчевывать сорняки, в болезни и в страдании рождать что-то прекрасное – это и есть жизнь. И змей где-то недалеко ходит, как рыкающий лев, и свобода есть внутри нас, и каждый день есть выбор.

Бог – Творец, Который нас сотворил по Своему образу и подобию, то есть творцами. Творцами, наделенными свободной волей. И творит человек века и тысячелетия напролет – войны творит, голод, беды, горе, слезы. И добро творит, милосердие, прощение и любовь. Наше подобие Богу не только в способности творить, но и в понимании того, что мы ответственны за то, что творим, – в желании блага. **«...вы – боги, и сыны Всевышнего все вы...» (Псалом 81:6).**

О НАС. Мы – носители Божественной сверхъестественной жизни. Бог вдохнул в человека дыхание жизни. И жизнь с Богом – это когда мы «Им живем и движемся и существуем», когда Он – источник нашего ВДОХновения и силы. Когда принимаем внутрь себя Его дыхание Жизни, оно производит внутри нас свое действие, обновляя и преображая нас в подобие Иисуса, и неизменно влияет на то, что мы говорим и делаем. Мы говорим, произносим слова – на выдохе. Что мы вдыхаем в себя и что выдыхаем? С каждым нашим выдохом мы можем влиять на окружение, в наших словах может быть сила, несущая жизнь, восстановление и рост. **«Смерть и жизнь – во власти языка, и любящие его вкусят от плодов его» (Притчи 18:21).**

О ЖИЗНИ. В жизни всем что-то приходится делать в первый раз. Нас очень вдохновляет пример тех, кто прошел до нас. А что делать, если мы – первопроходцы? Если не видно спины или следов тех, кто шел этой тропой до нас? С кого брать пример, кто поймет все сложности нашего пути и поддержит? В любой ситуации и в любых обстоятельствах есть Тот, Кто прошел этот путь, Кто может сострадать и искушаемым помочь. **«...с терпением будем проходить предлежащее нам поприще, взирая на начальника и Совершителя веры Иисуса...» (Евреям 12:1–2).**

ОБ ИМЕНИ. Как нас называют, и как мы сами себя называем? Возможно, после каких-то событий, ошибок, травм или подвигов нам тоже дали имя со «значением». Или просто добавили прилагательное к уже существующему имени – «такая-то» Марина, Света, Наташа. Не всегда то, кем называют нас люди, истинно по отношению к нам. Не обязательно принимать и верить в то, как увидели нас со стороны. Да, мы все несовершенны, но самая настоящая правда о нас – это то, кем нас видит Бог. Он смотрит на нас исключительно глазами любви и видит в нас любимых детей, независимо от возраста и независимо от того, что мы сделали в жизни. **«Смотрите, какую любовь дал нам Отец, чтобы нам называться и быть детьми Божьими…» (1-е Иоанна 3:1).**

О ВОСПИТАНИИ ДЕТЕЙ. Что мы говорим о наших детях и что провозглашаем в их судьбу? Как мы называем их? Бог говорит, что дети – это благословение и награда от Него. Большинство из нас согласны с этим, с благодарностью принимая наши сокровища, имея самые лучшие намерения вырастить их любящими людей и Бога, счастливыми и любимыми. В наше время не многие дают своим детям имена с особенным значением, но, кроме имени ребенка, обращаясь к детям, мы все используем имена нарицательные и множество описательных прилагательных. И в процессе жизни многие из них осуществляют эти слова и становятся теми, кем их видят самые близкие люди. Какая ответственность! **«Никакое гнилое слово да не исходит из уст ваших, а только доброе для назидания в вере, дабы оно доставляло благодать слушающим» (Ефесянам 4:29).**

6

АГАРЬ. ВОПЛЬ ПО ГОРИЗОНТАЛИ

«Молитва должна быть первой реакцией, а не последней надеждой»

Очень хорошо помню наш первый отпуск после рождения детей, проведенный вдвоем. Шесть лет в браке, четыре года в новой для меня стране, родилось трое малышей – мы адаптировались к новой жизни и много работали. Моя сестра Анечка выходила замуж, и мы все прилетели в Москву на свадьбу. Сестры взяли на себя заботу о наших малышах, а нас с мужем отправили на недельку в Египет, на Красное море.

Там мы купили однодневный тур в пустыню на квадроциклах. Нас отвезли далеко за город в большом туристическом автобусе с кондиционером. Выйдя из него, мы ощутили еще большую жару, чем у моря, раскаленное солнце было в зените. Сначала мне показалось смешным то, как тщательно закутывали каждого туриста в типичные черно-белые или красно-белые клетчатые платки – арафатки. После краткого инструктажа вереница из двадцати квадроциклов, минуя пару небольших коричневых холмиков, тронулась в необозримые просторы пустыни.

Едва различимый след «дороги», накатанной этими же квадроциклами в предыдущие дни, и сильный ветер, вбивающий в незакрытые участки тела миллионы острых песчинок. Мои почки и все мое тело остро ощущают отсутствие асфальта – на каждой кочке подпрыгиваешь всем телом, и это заставляет меня сильнее держать руль обеими руками. Как ориентир использую спину мужа, едущего впереди меня, пытаюсь перекричать рев двигателей, но поток ветра относит мои слова в сторону, щедро сыпанув при этом песка в рот. Все, спасибо, я уже получила «опыт пустыни»: жарко, ветер и песок. Можно нам уже обратно, плиз?

Но мы отъезжаем дальше и дальше от парковки, вокруг совершенно никаких ориентиров, ни одного здания на горизонте, ни одного деревца или холмика. Это происходило десять лет назад, у нас уже были мобильные телефоны, но еще не было международного роуминга. Разумом я понимала, конечно, что в XXI веке мы не заблудимся, есть сопровождающие, этот маршрут проверен и скоро мы снова будем лежать на берегу моря, а через несколько дней полетим к детям. Но эти несколько часов тряски и остановки «прямо-в-центре-ничего» оставили у меня неуютное ощущение дискомфорта и неуверенности. Мы сделали остановку, получили по бутылочке воды и несколько минут свободного времени, чтобы насладиться пейзажем. Не было смысла даже вертеть головой по сторонам: куда ни глянь, простиралась одинаково ровная земля, покрытая горячим песком, иногда поднимавшимся от резких порывов ветра в виде мутного облака.

Невольно возникали мысли: а что бы ты делала, если бы оказалась здесь одна? А если с детьми? Что я знаю о выживании в пустыне? Ничего. Я знаю библейскую историю об Агари и Измаиле. И помню, как очень впечатляюще и ярко описал пустыню Экзюпери, который и жил в пустыне, и летал над ней, и потерпел авиакатастрофу в Сахаре.

Наверняка именно поэтому «пустыней» иносказательно мы называем сложные периоды жизни, когда приходится преодолевать страдания и трудности. Только физическая пустыня отделена от городов, лесов, полей и деревень. А жизненную пустыню люди могут найти посреди толпы, в хорошей церкви и даже в большой семье. И самое страшное – не всегда и не все могут распознать зачастую немой крик засыхающей без Бога и без любви души.

«На связи», – мы часто слышим эту фразу от своих друзей, и сами говорим ее в конце разговора, подразумевая: я рядом, звони, если что-то нужно, я готов помочь. Всем очевидно, насколько веб-паутина опутала мир и всех нас. Мы живем в уникальное время моментальной связи и осведомленности, мы как никогда близки друг к другу и одновременно далеки. Мгновенное освещение событий в новостях – и в то же время так много одиноких людей, боль души которых никто не слышит.

Задайте вопрос на Фейсбуке в группе «Русская мама *USA*», какое платье вам надеть или чем лечить простуду, и за пару часов несколько сотен человек дадут свои советы. Поставьте вопрос острее, и будут сотни комментариев и советов. Невольно создается впечатление, что вокруг так много людей, которые слышат нас и готовы помочь. Но часто это впечатление обманчиво, а ищущий помощи человек просто утопает в потоках слов, советов и информации, не несущих реальной помощи. Нет нужного ответа, потому что мы стучим не в те двери. Или эти ответы очень неконкретны – все обо всем знают, но это не помогает.

«Остается только молиться», – что значит эта фраза, которую мы иногда слышим или произносим, разводя руками? «Воззови ко Мне», – говорит Бог. А люди, перебрав все возможные варианты, со вздохом говорят: «Ну что ж, остается только молиться». Человечество – на вершине своего развития. Медицина, творящая чудеса, передовые технологии, и благодаря этому мы много чего уже можем решить сами. Мы едва ли нуждаемся в Боге.

Мы много лет повторяем вслед за Давидом знакомые слова: «Жаждет Тебя душа моя», – но сами ведь даже не знаем, что такое жажда. Мы вряд ли хоть когда-то в жизни испытывали реальную физическую жажду. Хотя и жажда, и духовные пустыни бывают у всех, и некоторые их проходят, а кто-то навсегда остается там, не найдя выхода. Как научиться находить в пустынях источники и выбираться из этих гнетущих мест? К кому взывать, чтобы нас услышали, подняли и подвели к Источнику, несущему спасение нам и нашим детям?

> **«Авраам встал рано утром, и взял хлеба и мех воды, и дал Агари, положив ей на плечи, и отрока, и отпустил ее. Она пошла, и заблудилась в пустыне Вирсавии; и не стало воды в мехе, и она оставила отрока под одним кустом и пошла, села вдали, в расстоянии на [один] выстрел из лука. Ибо она сказала: не [хочу] видеть смерти отрока. И она села (поодаль) против (него), и подняла вопль, и плакала; и услышал Бог голос отрока (оттуда, где он был); и Ангел Божий с неба воззвал к Агари и сказал ей: что с тобою, Агарь? не бойся; Бог услышал голос отрока оттуда, где он находится; встань, подними отрока и возьми его за руку, ибо Я произведу от него великий народ. И Бог открыл глаза ее, и она увидела колодезь с водою (живою), и пошла, наполнила мех водою и напоила отрока. И Бог был с отроком; и он вырос, и стал жить в пустыне, и сделался стрелком из лука. Он жил в пустыне Фаран; и мать его взяла ему жену из земли Египетской» (Бытие 21:14–21).**

Красивая молодая египтянка. Яркая девушка с характером. У нее в жизни был лишь один минус, но очень существенный – она рабыня. Эта девушка, попавшая в рабство по невероятному стечению обстоятельств, с огромным трудом пыталась смириться со своим новым положением. Ее хозяева – благородные пожилые люди, уже много лет путешествующие в какую-то новую землю, обещанную им их Богом. Они хорошо относятся к ней, но в сердце рабыни всегда будет ненависть к ее госпоже – именно из-за нее она должна была оставить комфорт прекрасного дворца фараона и скитаться с этими странными евреями по жаркой пустыне.

Агарь помнит, какой переполох поднялся тогда во дворце. Процветающий и богатый Египет часто посещали торговцы из разных стран – казалось, ничто уже не способно удивить или впечатлить египтян. Небольшая группа кочующих евреев вызвала интерес у многих, а слухи о женщине необыкновенной красоты дошли до самого фараона.

Во дворце не было недостатка в холеных красавицах, но в этой уже немолодой женщине, с достоинством ступающей по мраморным плитам дворца фараона, угадывалось что-то особенное. Казалось, благородная Сара рождена быть царицей, а не жить в шатрах и скитаться по пустыне, жаркой днем и холодной ночью. Фараон оставил Сару во дворце, отпустив остальных во главе с Аврамом, назвавшимся ее братом.

Однако с появлением Сары во дворце начали происходить странные вещи. А потом фараону приснился страшный сон, и он приказал срочно вернуть Аврама. Оказалось, что тот вовсе не брат, а муж прекрасной Сары. Но вместо того, чтобы наказать или казнить обманщиков, их проводили с большим почетом и дарами. Вельможи фараона сопроводили их за пределы страны, отпустив со всем их имуществом и щедрыми дарами: с мелким и крупным скотом, с рабами и рабынями, в числе которых родной Египет пришлось покинуть и Агари.

Служить очень красивой, но бездетной и оттого несчастной женщине – не всегда легко. Кажется, эта немолодая парочка – Аврам и Сара – потихоньку теряет рассудок, рассуждая об обещаниях Бога относительно их многочисленного потомства, которому будет дана в наследство земля, куда они пока еще не пришли. Не странно ли рассуждать о народе численностью как морской песок, не имея даже одной песчинки?

Сара понимала, что с каждым годом ее шансы стать матерью становились меньше и меньше. Но вера ее мужа, напротив, кажется, только росла. Сара решила помочь полученному обещанию исполниться, и Агарь стала наложницей своего господина, а вскоре поняла, что станет матерью его сына.

Красивая, молодая и беременная рабыня против красивой, но старой и бездетной госпожи. У одной – много гордости, сын господина во чреве и никаких прав, у другой – власть, зависть и гордость. Она не позволит рабыне показывать превосходство над ней. Агарь думает, что она ждет

Агарь думает, что она ждет ребенка? Нет, это Сара ждет ребенка Аврама от своей рабыни. Служанка – всего лишь суррогатная мать.

ребенка? Нет, это Сара ждет ребенка Аврама от своей рабыни. Служанка – всего лишь суррогатная мать. Несколько надменных взглядов, словесных перепалок между женщинами – и беременная Агарь оказывается в пустыне.

В пустыне нет Нила и его богов, она вдалеке от Египта. А может, Бог Аврама и Сары как раз живет в пустыне, может, Он Бог кочевников и услышит ее? Стоит попробовать Ему помолиться? И нашел ее Ангел Господень у источника воды в пустыне, и повелел ей возвратиться к госпоже ее и покориться ей. Агарь вернулась и родила 86-летнему Авраму сына, и назвали его Измаил, как повелел ей Ангел.

Но духовная пустыня Агари на этом не закончилась. Через тринадцать лет Господь явился Авраму как Бог Всемогущий, заключил с ним завет и переименовал его в Авраама – «Отца множества народов», а жену его – в Сарру, что означало «Госпожа». А еще через год они все стали свидетелями огромного чуда: в сотый день рождения мужа Сарра родила ему сына – обещанного Самим Богом наследника и продолжателя рода. Мальчика назвали Исааком.

План «А» сработал, в плане «Б» уже не было надобности. Агарь и Измаил оказались просто ошибкой, поспешным решением. И в этой ситуации сидеть бы рабыне и ее сыну тихонько и никого не трогать. Но избалованному Измаилу вздумалось посмеяться над малышом Исааком во время праздника, устроенного в его же честь. Это повлекло за собой несколько неприятных разговоров: Сарры с Авраамом, Авраама с Богом и, наконец, Авраама с Агарью. Патриарх с женой и сыном обетования продолжили свой путь к осуществлению светлого будущего, а Агарь и первенец Измаил, которого затмил Исаак, были изгнаны. И вот четырнадцать лет спустя мать и сын снова оказались в пустыне Вирсавия.

Авраам был очень богатым человеком, но не дал им части имущества и стада или хотя бы верблюда и провожатого. Он дал им еды и воды на один день. Это была не скупость, а послушание повелению Бога.

Бог сказал: «Я позабочусь об отроке Измаиле». А Авраам уже научился доверять Богу.

Женщина и мальчик-подросток заблудились в пустыне Вирсавия. Что значит заблудиться в пустыне? Сбиться с дороги, потерять ориентир, блуждать по кругу, когда уже нет сил, нет хлеба и нет ни капли воды. И с каждым часом, проведенным под палящим солнцем, испарялась не только вода в мехе, но и надежда на то, что они вообще когда-либо выберутся из этой пустыни.

С каждым часом, проведенным под палящим солнцем, испарялась не только вода в мехе, но и надежда на то, что они вообще когда-либо выберутся из этой пустыни.

Сдаваться нельзя, где-то должны быть колодцы, источники воды. Где-то должны быть дороги, по которым иногда проходят караваны. Сколько можно блуждать по этой жаре? Они только теряли силы, которые нечем было восстановить. И тут у Агари в голове пронесся поток мыслей. Нужно вспомнить, как я выбралась из пустыни четырнадцать лет назад. Да, там был Ангел Господень, который повелел мне смириться и вернуться к Саре. Он сказал, что я рожу сына, и обещал, что от него произойдет целый народ. Что это было? Галлюцинация или мираж? Лучше было бы умереть тогда, когда ребенок был еще во чреве. Невыносимо сейчас быть рядом с моим красавцем сыном и видеть, как угасает его яркое будущее, мои надежды и наша жизнь.

Агарь оставила сына в скудной тени небольшого куста, отошла от него на несколько сотен метров. Мучительно больно сидеть рядом и прислушиваться к его дыханию, надеяться, что он, обессиленный, просто уснул, и ужасаться от вероятности того, что уснул навсегда. Мать ушла, оставила его одного, повторяя одну и ту же фразу: «Не хочу видеть смерти сына». Она села поодаль и подняла вопль.

О чем плакала Агарь? Ее вопль был о ней самой, о ее прошлом и будущем. В прошлом она видела только несправедливость судьбы – с того момента, как ее продали в рабство, потом из роскошного дворца фараона она попала к Саре и вынуждена была скитаться с ними. Жесткое отношение и притеснение Сары, которая сама отдала ее своему мужу, а потом завидовала ей, беременной. Измаил им нужен был только до тех пор, пока не появился Исаак. Они ее просто использовали и потом выжили! Соперничество между женщинами еще как-то можно понять, но как Авраам мог выпроводить своего сына в пустыню с запасом хлеба и воды на один день?

В этом порыве саможаления не было места осознанию своей вины, превозношения над госпожой, не было раскаяния. Но зато были обида, горечь и жалость к себе, – скудные слезы стекали по щекам, а в душе так же сухо и пусто, как и вокруг. По пустыне на север и юг, на запад и восток несся горький вопль обиды, гнева и безысходности. Почему? За что? Почему я и мой сын? Где справедливость? И там некому было услышать этот вопль. Вопль, направленный по горизонтали.

Агарь оплакивала свое будущее. Она смотрела с ужасом в завтрашний день – свой и своего единственного сына. А страх – это негативная вера, осуществляющая ожидаемые негативные события. В будущем Агарь видела смерть сына и оплакивала его судьбу и свою. Выхода нет и не может быть, помощи ждать неоткуда, источника нет, она уже осмотрела всю местность рядом, дальше идти нет сил. Глядя на статного юношу, своего красавца сына, Агарь уже столько раз мечтала о внуках, о большой семье Измаила. А теперь он, обессиленный, лежит под кустом, и она боится подойти ближе, она не хочет, чтобы он слы-

Страх – это негативная вера, осуществляющая ожидаемые негативные события.

шал ее рыдания. Это был крик души женщины и матери. Но вектор его направленности был неправильным. Этот вопль был направлен по горизонтали.

Но Авраам научил своего сына молиться, и пришел ответ именно на вопль Измаила. Голос отрока был услышан, потому что Измаил обратился за помощью по адресу, его вопль был направлен по вертикали. Измаил верил в Бога, и в ответ на его мольбу о помощи, и в ответ на его веру Бог послал Ангела к Агари.

Уже готовая умереть, несчастная мать, наверное, приняла за галлюцинацию встречу со старым знакомым. Он уже общался с нею в пустыне тогда, четырнадцать лет назад. Как и тогда, он, казалось, не замечал очевидного и задавал вопросы. На этот раз вопрос, заданный сломленной горем и несправедливостью жизни женщине, был крайне неуместным и странным: что с тобою, Агарь?

Разве обстоятельства не говорят сами за себя? Женщина в пустыне, с пересохшими губами и пересохшими от слез глазами. Ты что, ослеп? Что со мною? «Не бойся, Бог услышал голос отрока оттуда, где он находится», – сказал Ангел в ответ на ее красноречивый взгляд.

Не бойся! Страх парализует, ослепляет и лишает возможности увидеть выход. Страх заполняет всю душу и вытесняет надежду на спасение.

Ангел не дожидается ее объяснений, он призывает ее к действию: «Встань, возьми отрока». И когда Агарь, вместо того чтобы подробно описать ему всю безнадежность ее ужасного положения, просто делает то, что повелел Ангел, – страх уходит. Агарь встает, и, как следствие ее послушания, страх исчезает, и происходит чудо! Она вдруг видит то, что было рядом, но пелена из слез, обиды, горечи и страха закрывала это от нее.

> Не бойся! Страх парализует, ослепляет и лишает возможности увидеть выход. Страх заполняет всю душу и вытесняет надежду на спасение.

БОГ ОТКРЫЛ ГЛАЗА ЕЕ, и она увидела колодец.

Агарь так долго и так горько вопила, как будто стояла в маленькой комнате, полной зеркал, в которых видела искаженную до неузнаваемости действительность. В каждом из них отражалась ее душа – там были обида, саможаление, страх и безнадежность. А в центре всего была она сама, бедная и несчастная.

Вопль по горизонтали может лишь отозваться эхом, которое несколько раз повторит твои же слова, усугубляя проблему.

Вопль по вертикали не будет повторять твои слова, он будет услышан и принесет ответ. Он покажет источник, который станет спасением от смерти тебе и твоим детям.

> Вопль по вертикали не будет повторять твои слова, он будет услышан и принесет ответ. Он покажет источник, который станет спасением от смерти тебе и твоим детям.

Как только Агарь перестала вопить, жалея себя, и поднявшись, начала действовать, тогда пришел ответ.

В Евангелии от Луки, в 21-й главе, Иисус говорит о последнем времени и страшных событиях: голоде, войнах, катастрофах. Можно сказать, о своего рода большой пустыне. Господь не просто предупреждает нас о том, что это будет, Он заранее показывает, где пожарный выход. Такой? «Когда же начнет это сбываться, сразу сделайте рассылку друзьям, опубликуйте посты во всех соцсетях. После выборов президента влиятельной страны запускайте дискуссии на тему "Пахнет антихристом", покупайте участки земли в Аравии или хотя бы переезжайте в Канаду»?

Нет, Он говорит: «Восклонитесь и поднимите головы ваши, потому что приближается избавление ваше». Вертикаль. С севера на юг и с запада на восток ежедневно миллионы и миллионы раз раздается вопль, плач и крик о помощи. Да, конечно, мы призваны помогать нуждающимся и защищать обиженных. Но мы – лишь Его руки, а Он – Спаситель и Избавитель от смерти и ада.

«Помощь моя от Господа, сотворившего небо и землю»

Помощь не от какого-то влиятельного человека, а от Того, Кто из ничего сотворил небо и землю.

И Он говорит: «Призови Меня в день скорби, Я избавлю тебя, и ты прославишь Меня».

Иеремия говорит от лица Бога: «Воззови ко Мне – и Я отвечу тебе, покажу тебе великое и недоступное, чего ты не знаешь». Ты не знаешь об этом, но колодец совсем рядом. Ты просто не видишь его.

Не ропщи на свою судьбу. Не вопи просто так. Не оплакивай своего прошлого, не плачь, страшась неизвестности и будущего, не смотри по горизонтали, не вопи по горизонтали.

У нас есть только настоящее, нельзя жить прошлым или будущим. Сейчас, сегодня Бог есть, и Он рядом со мной. Бог, Который может открыть мои глаза. Мы все думаем, что знаем и понимаем жизнь, адекватно оценивая то, что происходит вокруг. Но если Бог откроет глаза, мы можем вдруг увидеть, что колодец совсем рядом, что источник может быть найден в пустыне.

У нас есть только настоящее, нельзя жить прошлым или будущим. Сейчас, сегодня Бог есть, и Он рядом со мной. Бог, Который может открыть мои глаза.

Поднимите головы ваши. Посмотрите вверх.

«Блажен человек, которого сила в Тебе и у которого в сердце стези направлены к Тебе. Проходя долиною плача, они открывают в ней источники, и дождь покрывает ее благословением...» (Псалом 83:6–7).

• УРОКИ ЖИЗНИ •

О БОГЕ. Бог всегда слышит каждого, кто обращается к Нему. И в ответ на нашу нужду Он открывает глаза и показывает нам источник. **«...воззови ко Мне – и Я отвечу тебе, покажу тебе великое и недоступное, чего ты не знаешь» (Иеремия 33:3).**

О НАС. Не попадай в одну и ту же пустыню дважды. Не сдавший экзамен остается на второй год. Испытания, искушения и трудности – часть жизни каждого человека. Одни пытаются убегать от них, другие извлекают уроки и проходят свои тесты, переходя на следующий уровень. **«Блажен человек, который переносит искушение, потому что, быв испытан, он получит венец жизни, который обещал Господь любящим Его» (Иакова 1:12).**

О ЖИЗНИ. Нужно искать помощь по адресу. Можно долго вопить, но без ответа. Отворяют стучащему и отвечают просящему. Может быть много шума и мало результата. Ученики Иисуса попросили Его научить их молиться. Первые же слова Господней молитвы направляют наш взгляд к Нему, Подателю всех благ и Вечной Любви: **«Молитесь же так: Отче наш, сущий на небесах!..» (Матфея 6:9).** Это правильный адрес.

ОБ ОБЕТОВАНИЯХ. Для верующего человека, кроме спасения и дара вечной жизни, в Библии Бог оставил буквально сотни обетований – обещаний для каждой сферы жизни, для нас и наших детей. Получить обещанное можно только одним способом – принять его верой. Принимай и держись за обетование и, глядя в будущее, не рисуй себе ужасных картин, основываясь на очевидном. Старайся видеть то, что обещано тебе, и оно начнет материализовываться. **«Вера же есть осуществление ожидаемого и уверенность в невидимом» (Евреям 11:1).**

О САМОЖАЛЕНИИ. Саможаление ослепляет глаза и лишает возможности искать выход. Оплакивание своего прошлого или своего будущего не поможет найти выход из проблемы. Источник может быть совсем рядом с умирающим от жажды человеком. **«Есть пути, кажущиеся человеку прямыми; но конец их – путь к смерти» (Притчи 14:12).** Саможаление – именно такой путь в никуда.

7

СВЕТА. СВЕТ ЕЕ ДУШИ

«...Любовь уравновешивает горе
И тьму всегда превозмогает свет...»
Николай Заболоцкий

Мой муж – служитель. За годы нашего следования за Богом и служения людям в поместной церкви мне пришлось повидать немало. Много было приятных и радостных событий, в которых мы принимали участие. Какая честь видеть, как Бог соединяет судьбы, присутствовать на красивых церемониях бракосочетания, поздравлять молодых, а пару лет спустя поздравлять их новую семью с пополнением, навещать рожениц в больнице и потом вместе со всеми членами церкви благословлять их младенцев.

Бывали долгие вечера бесед, увещеваний, молитв о тех, кому тяжело и плохо. Посты и молитвы, когда мы вступаемся за тех, кто под прицелом врага. Разные периоды есть в жизни служителей – рабочие будни, праздники, дружеские беседы, совместные молитвы, свадьбы, дни рождения и похороны. Иногда беда стучит в дом близких людей, и мы не властны остановить ее или пройти этот путь вместо них. Все, что мы можем, – это пройти небольшой отрезок их нелегкого пути рядом с ними.

За все эти годы служения, наверное, тяжелее и больнее всего мне было находиться в похоронном доме в Кемасе, Вашингтон, и выбирать, листая большой заламинированный каталог, гробик для новорожденного мальчика, сына наших друзей. Выбирать надгробную плиту и шрифт, которым будет написано имя и фамилия малыша и только одна дата – день его рождения, ставший и днем смерти.

А за пару лет до этого страшного 15 марта мы со Светой не один раз мечтали о том, что Бог благословит нас малышами. Одной из нас – под 40, второй – слегка за 40. У нас обеих уже есть дети, почти все подростки, они учатся в школе и мечтают о братике или сестричке. Мы встречаемся как минимум два раза в неделю – на церковных служениях, и время от времени обсуждаем «нашу тему», утешаем друг друга и вдохновляем доверять Богу и быть благодарными за то, что уже есть.

Помню, как Света сообщила мне о своей беременности и как мы все радовались вместе с ними. Летели дни, складываясь по семь штук в недели. В двадцать недель – долгожданное УЗИ, где наши друзья узнали, что ждут сына. Во второй половине беременности начали готовить для малыша детскую, это самые приятные хлопоты: выбор кроватки и множества всяких мелочей, необходимых для ребенка. Каждый день их семья молилась о маме и малыше и благодарила Бога – беременность протекала просто идеально, никаких осложнений или поводов для беспокойства.

За пару месяцев до родов, в среду вечером, Света зашла в наш дом в шикарном длинном белом платье с красиво торчащим вперед животиком. Это был бэйби шауэр – праздник в ее честь, вечер, на который в наш дом собралось около трех десятков ее подруг, желающих вместе со Светой порадоваться и попросить Бога благословить беременность и предстоящие роды. Многие знали, как сильно в этой семье хотели ребенка, и это был вечер искренней любви, радости и благодарности – настоящий праздник.

Я стою в коридоре родильного отделения «Саут-Вест медикал центра» в Ванкувере, Вашингтон. Мы живем в этом городе, и именно в этой больнице, на этом же первом этаже родились наши двое младших детей – Пол и Арианночка. Я хочу отвлечься от того, что происходит за дверями палаты, возле которой я стою, и пытаюсь вспомнить, в каких палатах я здесь лежала. Пытаюсь вспомнить и не могу – мысли путаются в голове. Потом пытаюсь вспомнить, сколько моих подруг рожали в этом роддоме за последние десять лет. Не меньше двадцати насчитала. Какие же это были приятные визиты – с цветами, и шариками, и, конечно, с фото на память. Они все знают, как я обожаю младенцев, и с радостью позволяют мне подержать на руках свои сокровища, которым несколько часов от роду.

Но я никогда не могла представить, что посещение роддома может быть таким страшным и болезненным. Я снова ловлю себя на мысли, что отказываюсь верить в то, что произошло сегодня ночью. Нет, не нужно думать о плохом, нужно продолжать молиться и верить в чудо – в то, что Света сейчас родит живого ребенка. Я все так же стою у стены, смотрю в конец коридора и опять проваливаюсь в свои воспоминания.

В конце коридора – двойные двери в операционную: туда на каталках завозят рожениц, подготовленных к операции кесарева сечения, и вывозят через пару часов через эти же двери с завернутым в пеленочку комочком счастья на груди. Первое кесарево сечение было сделано мне в России в 2004-м. Тогда еще эту операцию делали под наркозом, и первые сутки прошли в сильной боли и в каком-то тумане. Боль и страшное чувство того, что мою долгожданную девочку куда-то унесли от меня, даже не показав, – других воспоминаний не очень много.

Помню, каким приятным сюрпризом было мое кесарево с эпидуралкой здесь, в Америке, – рождение нашего сына Пола. Операцию назначают заранее, и последний месяц беременности ты ходишь, зная день и время, когда родится твой малыш. Из-за операций на глазах в прошлом мне пришлось «кесариться» все три раза, с чем долго не могла смириться: какая же я женщина, если не могу испытать, что такое роды? Лишь побывав на естественных 24-часовых родах своей родственницы и увидев весь процесс, я успокоилась и перестала жалеть о том, что не рожала самостоятельно.

В день операции рано утром мы с мужем приезжаем в больницу, подписываем последние документы, оба переодеваемся, последний раз фотографируемся с животиком и меня везут в операционную. Муж мужественно шагает рядом с фотоаппаратом в руках (каменный век до смартфонов с камерами). В операционной оживленно беседуют и шутят врачи, анестезиолог и медсестры: никакой торжественности и строгости, будто эта среда – совершенно обычный день! Соберитесь, думаю я, сейчас будет происходить что-то очень важное – рождение моего сына!

Я нахожусь в сознании, ничего не чувствую – ни боли, ни своего тела ниже груди. Мужу разрешают смотреть на то, что происходит за небольшой ширмой на моей груди, и через несколько минут в руках врача перед моими глазами появляется скрученный, синеватый комочек с не перерезанной еще пуповиной. И эти пару секунд кажутся вечностью, и я подскакиваю, вырывая голову из рук анестезиолога, и спрашиваю раз шестнадцать в секунду: «Он дышит? Он дышит? Он живой? С ним все в порядке?»

Добродушные медсестры смеются надо мной, и пока врач заканчивает свою работу и зашивает меня, мой сын, наспех обтертый и завернутый клубочком, уже лежит на мне, прямо возле лица. Рукой, обвитой проводами, в которую воткнута игла капельницы, я крепко прижимаю к себе эти три с небольшим килограмма и реву от счастья. Анестезиолог предлагает сфотографировать нас вместе с мужем и новорожденным. Я и сейчас смотрю на эти фото со слезами – более сильных эмоций женщина, наверное, не испытывает никогда.

Из палаты выходит медсестра, которая выдергивает меня из прошлого и возвращает к реальности и к причине моего визита сегодня. Она предлагает мне кофе. Пекут глаза… Это печальное утро началось с телефонного звонка наших друзей в три часа ночи, ровно двенадцать часов назад. Я знала, что у Светы уже 40-я неделя беременности, и обычно нам звонят и просят молиться, когда приезжают в роддом рожать. Но с первых секунд этого звонка мы поняли, что происходит что-то плохое.

Положив трубку, следующие пять минут мы с мужем одновременно молимся, наспех одеваемся, стараясь не разбудить детей, пишем несколько записок и кладем в их комнатах и в нашей на полу: если проснутся, чтобы не испугались, что нас нет. Пятнадцать минут в пути до больницы – я пишу сообщения нескольким близким друзьям из церкви: «Света в роддоме, молитесь прямо сейчас!» Мы едем туда и будем вдохновлять их верить и надеяться. Мы молимся и верим в чудо, что все будет хорошо. А сейчас 3 часа дня. Медсестра, оказавшаяся русской и даже нашей землячкой, с которой мы немного сблизились за эти часы, проведенные вместе, сообщает мне, что уже очень скоро Света родит своего мертвого сына.

Я снова смотрю в конец длинного коридора, где настежь распахиваются огромные двери в хирургическое отделение, оттуда выходит достаточно много медиков, и вся эта процессия движется в моем направлении. В центре – каталка, на которой лежит молоденькая роженица с младенцем на руках, рядом идет долговязый смешной парень в очках, который, наверное, не видел себя в зеркале: он одет в одноразовый голубой костюм, бахилы и шапочку. Лицо молодого отца расплывается в улыбке, он переводит взгляд с младенца на жену, едва успевая за медсестрами, везущими их в палату. Вся эта процессия проходит буквально в метре от меня.

За эту минуту или две, пока они шли в мою сторону, потом поравнялись со мной, прошли мимо и повернули за угол, в моей душе все резко перевернулось. Будто кто-то сделал узкий, глубокий разрез, и эта боль позволила мне увидеть то, что внутри, суть всего – контрастную реальность жизни. Мой переутомленный разум и мои обнаженные нервы впитали каждую деталь этой новой жизни, этого праздника, мелькнувшего за минуту передо мной. Эти молодые ребята в очках сейчас в своей палате, возможно, парень неуклюже берет на руки ребенка, стесняется своих чувств и своих слез, и впервые в жизни его сердце наполняют любовь и радость, которых он не знал ранее.

А в нескольких метрах от них, через пару стен, наши друзья в точно такой же палате: Света родила мальчика. Он выглядит вполне здоровым, никаких изъянов и недостатков, кроме одного ужасного факта – в этом тельце нет жизни. Несколько часов назад эта ангельская душа улетела обратно к Богу.

Больше не в силах сдерживать рыдания, я просто сползаю по стенке на пол и плачу, нет, скорее, вою, – от непонимания, от того, что в данный момент я испытываю такое жуткое одиночество, боль и тоску. А как там Света? Я хочу быть рядом… очень боюсь… но вдруг я смогу разделить невыносимую боль, и ей будет хоть на грамулечку легче?

Медсестра зовет нас, и мы с мужем заходим в палату. Света держит в руках завернутого в пеленочку щекастого мальчика. Она смотрит на него с такой острой болью и с такой нежной любовью одновременно. Через несколько минут его заберут для экспертизы, и она торопится запечатлеть каждую черту его прекрасного личика. Он будто спит, только слишком бледненький. Я еле сдерживаю себя, чтобы не закричать в полную силу моей души и голосовых связок: «Добрый Господь, ну пожалуйста, я верю, что все возможно!» Я беру своей рукой малюсенькую холодную ручку и еле слышно шепчу: «Малыш, миленький, хорошенький, ну проснись же!» А потом четверо плачущих взрослых прерывают эту в буквальном смысле мертвую тишину и начинают молиться. Мы с мужем просим Бога дать родителям силы, а они сквозь рыдания произносят: «Да будет благословенно имя Господне… даже сегодня… даже здесь».

Я поняла, что в часы большой радости и большого горя особенно ярко видно, что́ в сердце человека, какой он на самом деле. Несколько раз в жизни мне доводилось увидеть, как скорбят смиренные люди: без крика и бунта, без дерзких громких вопросов и претензий, направленных в небо. Кажется, они настолько наполнены Богом, что именно в такие часы и минуты, когда по-человечески кажется, что Он далеко, Господь обнимает их и внутри и снаружи. Именно поэтому они не теряют рассудка от горя, не ломаются, не впадают в запой или депрессию. И это – самое настоящее чудо!

Я поняла, что в часы большой радости и большого горя особенно ярко видно, чтó в сердце человека, какой он на самом деле.

После выписки из роддома были долгие две недели до похорон. Очень много людей посетили их дом. Мы не хотели, чтобы они оставались одни, но вместе с тем я пыталась представить, что чувствует Света. Наверное, хочется просто крикнуть: «Пожалуйста, уйдите все, просто оставьте меня одну!» Сколько необходимо времени, чтобы осознать случившееся так внезапно, без подготовки? А сколько нужно времени, чтобы смириться с этим и принять? Быть в этом доме, несколько раз в день подниматься на второй этаж и каждый раз видеть дверь в детскую рядом со спальней старшего сына? Несколько шагов, а там за дверью – свежевыкрашенные светло-серенькие стены, новая застеленная кроватка, пеленальный столик и комод с детскими вещичками, все подобрано и куплено с такой любовью и нежностью. Но кроватка пуста, и в душу тоже пытается пробираться пустота, холодная и темная.

Но Света не впускает эту темную пустоту. Она включает в своей душе Свет, который прогоняет всякую тьму. Она слушает песню «Да будет воля Твоя» (*Thy will be done),* написанную Хиллари Скотт в 2016 году после того, как они потеряли ребенка, и находит в этом для себя огромную поддержку и утешение. Я не одна, другие прошли этот путь с Божьей помощью, и мы сможем. Света принимает друзей, которые приносят им еще горячие обеды, желая хоть как-то облегчить ей домашние заботы. Потом они усаживают гостей за стол, кормят их и еще делятся вкусностями с друзьями, недавно приехавшими из Украины. Как в ее сердце помещается так много, как хватает сил думать о других, поддерживать разговор и приглашать гостей?!

Она очень переживает о старших дочке и сыне, о том, чтобы они не ожесточились и не затаили в душе обиды. И, наверное, нет лучше способа помочь им, как своим собственным примером, – проходя духовную долину смерти, открывать в ней источники силы и утешения и всей семьей говорить: «Да будет благословенно имя Господне». Я уже слышала, как они говорили эти слова – через боль и слезы, но со смирением и доверием Богу.

На кладбище в Кемасе есть отдельное место, у низкого белого заборчика, выделенное для захоронения младенцев. Я хожу и читаю имена, фамилии и даты. На многих стоит только одна дата. На могилках лежат мягкие игрушки и цветочки. В этот холодный дождливый мартовский день мы и наши дети были практически единственными участниками этой грустной церемонии. Света и ее семья должны были подъехать через несколько минут.

Наши дети впервые на похоронах, они – друзья старших детей Светы, и решили быть рядом с ними в этот момент. Мы стоим под небольшим навесом, где для нас приготовили стулья. Здесь, в Америке, даже такие грустные мероприятия организовываются очень красиво и аккуратно. Я смотрю на своих детей и думаю: они вообще осознают, что в этом беленьком гробике, на котором стоит шикарный букет из живых цветов, почти полностью закрывая его, там, внутри, лежит тельце братика их друзей? Они волнуются и спрашивают меня: «Мам, что в таком случае нужно говорить? Подскажи нам правильные слова». Отвечаю: «Я сама не знаю, детки, наверное, нет таких слов; мы просто будем рядом, просто будем вместе с ними…»

Через несколько минут мы уже все вместе стояли под тем же навесом, перед нами – гробик с огромным букетом сверху и маленькая прямоугольная могилка, аккуратный прямоугольник, со всех сторон обложенный зеленой искусственной травой. Мы все дрожали от пронизывающего мокрого ветра и от сдерживаемых рыданий. Мой муж, он же пастор, говорил слова утешения, говорил о нашем Боге, Который рядом с нами здесь и сейчас. О Боге,

Мы – свидетели силы Божьей в их жизни, свидетели того, что радость в Господе поистине является подкреплением и поддержкой.

> Эта история о Свете, но еще больше это история о Божественном свете, наполняющем ее душу, – согревающем в леденящем ужасе и освещающем самый густой мрак непонимания и боли.

Который держит не только весь мир в Своей руке, но и их маленького сыночка. И настанет день, когда все они будут вместе. А сейчас им нужно суметь пережить разлуку, оставить вопросы без ответа и продолжать жить с Богом и для Него. И мы все – их церковная семья – являемся свидетелями того, что они смогли пережить смерть своего сына. Мы – свидетели силы Божьей в их жизни, свидетели того, что радость в Господе поистине является подкреплением и поддержкой.

Да, это история о Свете, но еще больше это история о Божественном свете, наполняющем ее душу, – согревающем в пелене леденящего ужаса и освещающем самый густой мрак непонимания и боли. О свете, который сияет через нее, когда она стоит на сцене с микрофоном и прославляет Бога. Она поет Ему хвалу и благодарность и поднимает свои руки к небу – туда, где Он, благой Бог, и где ждет ее маленький сыночек. Света поет во славу Бога, Который превращает тьму в свет.

• УРОКИ ЖИЗНИ •

О БОГЕ. Апостол Иоанн сообщает самую хорошую новость, Благую Весть, которая имеет прямое отношение к нам и к обстоятельствам нашей жизни: **«И вот благовестие, которое мы слышали от Него и возвещаем вам: Бог есть свет, и нет в Нем никакой тьмы» (1-е Иоанна 1:5).** Когда мы сокрыты в Боге, мы живем в свете, и никто и ничто не сможет «выключить» этот свет в нашей жизни. Человек, находящийся во тьме, легко может заблудиться, потеряться, не зная, где он и куда идет. В Боге, в свете мы можем продолжать идти дальше и иметь мир в любой ситуации.

О НАС. Все люди переживают горе по-разному, но одни выдерживают испытания, а другие ломаются или раздавливаются в них. Кто может быть готов к ужасному? Часто беда врывается резко, без предупреждения, и наша реакция показывает, чем мы наполнены внутри. Человек, каждый день живущий с Богом, научившийся находить в Нем силы, утешение и поддержку в обычных повседневных ситуациях, и в кризисной будет знать, где черпать силы. **«Если ты в день бедствия оказался слабым, то бедна сила твоя» (Притчи 24:10).**

О ЖИЗНИ. Жизнь – такое емкое понятие. Кажется, мы все вкладываем в него одинаковый смысл, но жизнь – это намного больше, чем наше земное существование на этой планете в нашем физическом теле. Бог послал Своего Сына, чтобы каждый, верующий в Него, не погиб, но имел жизнь вечную (см.: Иоанна 3:16). Жизнь вечная – это жизнь с большой буквы, отличающаяся от физического существования и качественно и количественно. **«И если мы в этой только жизни надеемся на Христа, то мы несчастнее всех человеков» (1-е Коринфянам 15:19).**

О ДОЛИНАХ СМЕРТНОЙ ТЕНИ. В долинах обитает страх, но секрет того, как не оказаться побежденным страхом, заключается в том, чтобы проходить долины с Богом. Как читаем во всем известном 22-м Псалме, Давид не хвастает своей храбростью, а делится своим «потому что»: **«Даже если я пойду и долиной смертной тени, не убоюсь зла, потому что Ты со мной...» (см.: стих 4).** А когда мы идем рядом с Ним, даже в самой темной долине мы видим свет и выход. **«Ты возжигаешь светильник мой, Господи; Бог мой просвещает тьму мою» (Псалом 17:29).**

О ХВАЛЕ. Есть огромная сила в хвале и прославлении Бога. Победа приходит, когда высвобождаются слова хвалы и благодарности Богу, когда возвеличивается Его имя. В Ветхом Завете, во Второй книге Паралипоменон, в 20-й главе мы читаем историю о царе Иосафате, ведущем на сражение свое войско. Силы были явно неравные, по-человечески – ситуация безнадежная. Но царь поставил во главе армии левитов – певцов и музыкантов, прославляющих Бога, и в ответ на хвалу пришло присутствие Всемогущего. И вместе с Божьим присутствием пришла победа в виде чуда: народы, объединившиеся против Иудеи, пришли в замешательство и буквально истребили друг друга, а Божий народ просто целых три дня собирал добычу.

В Библии написано, что Бог обитает **«среди славословий Израиля» (Псалом 21:4)**, а Его присутствие всегда приносит победу. Не всегда приходит ответ в том виде, в котором мы хотели бы видеть, но Бог неизменно дает нам торжествовать во Христе.

8

ЕСФИРЬ. КРАСОТА, ВЫРВАВШАЯСЯ НАРУЖУ

«Никакая внешняя прелесть не может быть полной, если она не оживлена внутренней красотой.»

Виктор Гюго

Осенью 2008 года в рамках концерта группы *Imprint* у нас в Портленде проходило ток-шоу, ведущей которого довелось быть мне. Гостем ток-шоу была неординарная девушка – победительница национального конкурса «Мисс Украина 2007» Лика Роман. Она гостила в Америке и не упускала возможности рассказать о своем уникальном опыте. Многим хотелось посмотреть на длинноногую кареглазую красавицу с шикарными длинными волосами, но мало кто ожидал услышать, что все лавры за победу в светском конкурсе красоты она отдает Богу и говорит не о себе, а о Нем.

Лика выросла с мамой в Ужгороде, в подростковом возрасте пришла к Богу, поверила в Него и посвятила Ему свою жизнь. Она училась в университете, несла служение в церкви, работала в салоне красоты и молилась. Молилась, спрашивая Бога о своем будущем. Она была убеждена в том, что должна нести свет Божьей любви людям, чего бы ей это ни стоило. Пока она делала людей красивыми внешне, Бог готовил ее к тому, чтобы показывать путь к Красоте. Началом этого пути для Лики оказалось приглашение на национальный конкурс красоты в Киев.

Дальше был непростой путь преодоления сомнений, критики, непонимания. Потом нелегкая подготовка к самому конкурсу и постоянная молитва в сердце: «Господь, для чего я здесь? Я хочу быть светом и солью для этих девочек». Лика думала, что Бог дал ей возможность участвовать в конкурсе, чтобы во время подготовки рассказать другим участницам об Иисусе. О победе в конкурсе она даже не смела мечтать, так как была наслышана о том, как проходят подобные мероприятия: все куплено, и заранее решено, кто займет первое место.

Лика рассказывает, что именно в тот год на конкурсе присутствовала впервые приехавшая в Украину почетная член жюри Джулия Морли, учредитель и президент конкурса «Мисс мира». Она сказала слова, повлиявшие не только на членов жюри, но и определившие победительницу: «Посмотрите на эту девочку под номером двадцать три, она отличается от всех. От нее исходит какой-то свет». Голоса членов жюри разделились, и именно голос Джулии Морли оказался решающим в пользу Лики. Двери новых возможностей распахнулись перед девушкой, и ее первыми словами в качестве мисс своей страны были слова благодарности Богу.

Но свидетельством лично для нас были не только красивые слова, сказанные Ликой в микрофон со сцены. Так получилось, что время ее визита в Портленд совпало с нашим переездом из одного дома в другой. Недели подготовки, потом концерт и ток-шоу в субботу, служение в воскресенье и переезд в понедельник. В старом доме еще живут наши друзья, у нас трое малышей, из которых старшему только четыре с половиной года, вокруг много наспех собранных вещей. И наши гости, которые вместе с друзьями помогают нам при переезде. Я видела очень красивые фото Лики, сделанные во время конкурса в Киеве: на них она с профессионально сделанным макияжем и укладкой, в вечернем длинном платье и короной на голове. Но в полной своей красоте эта высокая хрупкая девушка предстала передо мной именно тогда, когда она тащила из трака в дом огромные мешки с вываливающимися оттуда нашими одеялами и подушками.

Сегодня Лика продолжает активную общественную деятельность, много путешествует, выступает на молодежных фестивалях и конференциях. Чаще всего ее аудитория – это молодежь, студенты колледжей и вузов, парни и девушки, зачастую переоценивающие важность и значимость физической привлекательности и красоты. Послание Лики – это послание о том, что на самом деле важно в жизни, о красоте души, о том, какую красоту и смысл обретает жизнь после встречи с Иисусом Христом.

У нашей старшей дочери уже есть аккаунт в Инстаграме, и, периодически встречаясь в ленте с постами Лики, Катерина говорит: «Мам, а помнишь, как Лика помогала нам переезжать в этот дом?» – «Да, доченька, помню, – отвечаю я, – она на самом деле красивая девушка!»

Еще об одной девушке, неожиданно для нее самой попавшей на национальный конкурс красоты и занявшей там первое место, мы читаем в Библии. Интересно, есть ли на свете девочка, которая не знает сказки о Золушке? Даже если и найдется такая, наверняка она знает парочку похожих сказок. Таких, классических, в которых несчастная сирота вдруг становится счастливой и любимой, бедная – богатой, лохмотья меняются на красивые наряды и убогий дом – на дворец. Девочки любят такие истории настолько же, насколько мальчикам интересны приключения, риск, рыцарские подвиги и отвага.

Одна такая, с позволения сказать, сказка даже записана в Библии. Вернее, это правдивая история, но, тем не менее, сказочно красивая. Сюжет, сочетающий в себе историю любви и историю доблестного подвига. Историю истинной красоты и мужества в одном лице. Это история жизни Есфири. Она такая уникальная и самодостаточная, что Бог отвел для нее отдельную книгу – одну из 66 книг Священного Писания. Это единственная книга Библии, в которой не упоминается имя Бога, тем не менее она вся о Нем. История о сильном Боге Израилевом, живущем в сердце хрупкой еврейской девушки.

Это история об эмигрантке, ставшей царицей для того, чтобы стать ходатаем за свой народ. Этим определялись ее судьба и предназначение, но это будет потом. А пока она простая девушка, как и многие сотни других, оставшихся жить на чужбине после полного уничтожения Иудейского царства и Вавилонского плена в далеком 586 году до н.э. После первых семидесяти лет плена многие люди вернулись на родину – в бедную, разоренную врагами Иудею, где были разрушены города и заросли бурьяном виноградники и оливковые рощи.

Вернулись те, кто верил, что именно там, в земле обетованной, в Иерусалиме – место обитания их Бога и их дом. Им пришлось очень нелегко, так как появились враги и недоброжелатели. Даже имея поддержку царя и разрешение на восстановление города и Храма, Неемии и его людям приходилось строить стены, держа меч в одной руке, а кирку – в другой. Но Бог был на их стороне, с Его помощью они смогли все преодолеть. Стены построили, в Храме возобновились служения, и все, оставшиеся на чужбине, молились в сторону Иерусалима, а самые смелые ходили туда на поклонение три раза в год.

На чужбине они уже не были рабами. Они жили своей огромной иудейской общиной. Построили дома и посадили виноградники, многие начали свое дело, но и там они не забыли Бога Израилева, любили Его и соблюдали Его заповеди. К таким праведным людям относился Мардохей, воспитывавший дочь своего дяди. Есфирь рано осталась сиротой, и Мардохей заменил ей и отца и мать. Девочка, пережившая страдание и потерю родителей, привязалась к нему и ценила его доброту, что выражалось в ее смирении и послушании.

Библейская Книга Есфирь начинается не с рассказа о ней, а с описания своеобразного бунта в престольном городе Сузах, во дворце царя Артаксеркса – величественного и могущественного правителя мидян и персов. Ему покорились двадцать семь областей от Индии до Эфиопии. Но именно в разгар праздника в честь его величия и богатства жена царя Астинь не покорилась его приказу.

Кульминацией праздника, длившегося сто восемьдесят дней – да, целых полгода, – должно было стать появление царицы. Артаксеркс, показавший своим начальникам войска и правителям областей все свое богатство и великолепие дворца, хотел похвастать главным сокровищем – красавицей женой. Но то ли Астинь была занята пиром для женщин, который она устроила в царском доме, то ли захотела продемонстрировать свою независимость и свободомыслие, – она просто отказалась прийти к царю.

В то время и в той культуре ее поступок был вопиющим нарушением не только дворцового этикета, но и общественной морали. То, что нам может показаться капризами избалованной царицы, вызвало не только гнев и ярость царя, но и подтолкнуло к собранию экстренного совета семи князей Персидских и Мидийских. Очевидно, царица была не только красавицей, но еще имела влияние на женщин в царстве. Чтобы другим было неповадно пренебрегать своими мужьями, должны были быть приняты срочные меры. Астинь не могла оставаться первой леди и была изгнана из дворца. Не просто увольнение, еще и депортация.

Праздники прошли, гости разъехались, гнев царя утих. Артаксерксу нужна была новая жена. Во все области отправили наблюдателей, обязанностью которых было собрать из всех уголков царства кандидаток на самый важный конкурс красоты, где Мисс Сузы станет Миссис Артаксеркс. Главным критерием была, конечно, красота – лицо и фигура. Но им всем еще предстояло узнать, какая красота и сила души может скрываться под внешней красотой одной кареглазой брюнетки.

В число красавиц, которых под надзором царского евнуха Гегая целый год готовили для показа царю, попала и двоюродная сестра Мардохея – Гадасса. И с этого момента начался ее путь превращения из Гадассы в Есфирь, из ссыльной сироты в царицу. Целый год слуги трудились над ее внешним видом. Но работа шла не только над телом, Бог трудился над сердцем и душой девушки, готовя ее к выполнению предназначенной ей миссии.

Вряд ли красивые девушки приходили на кастинг добровольно, и вряд ли это был выбор Гадассы – навсегда

> Вряд ли это был выбор Гадассы – навсегда лишиться возможности выйти замуж, иметь детей и семью в обмен на мизерный шанс стать царицей, а скорее всего, составить компанию многочисленным наложницам царя в гареме.

лишиться возможности выйти замуж, иметь детей и семью в обмен на мизерный шанс стать царицей, а скорее всего, составить компанию многочисленным наложницам царя в гареме.

С каким сердцем Гадасса начала свою 12-месячную подготовку к встрече с царем? Оплакивала ли она свою судьбу, досадовала, негодовала? «Не родись красивой, а родись счастливой» – но разве одно обязательно исключает другое? Мардохей предупредил ее не говорить никому о своем происхождении, о своем народе и вере. Сколько нужно выдержки и силы воли, чтобы забыть свое имя, данное любимыми родителями, отзываться и называть себя Есфирью? Но кроткий дух виден в словах, во взгляде и располагает к себе окружающих. Почему-то Есфирь понравилась Гегаю, «приобрела у него благоволение», что повлекло за собой переселение в лучшее отделение женского дома. Ей выделены были все необходимые притирания и благовония, чтобы ее красота засияла новыми гранями.

Каждый день Мардохей приходил к воротам женского дома, каждый день она общалась с ним. Она не возгордилась своим положением и жизнью во дворце, не посчитала ненужным отчитываться брату о своих делах, хотя могла бы – разве может мужчина понять суть всех процедур в салоне красоты? Именно эта хорошая привычка общаться и быть на связи потом спасет ее и поможет ей спасти свой народ.

Год пролетел, и пришло время каждой красавице познакомиться с царем. У них был один шанс произвести впечатление, одна ночь с Артаксерксом. Девушки могли потребовать все что угодно для этого свидания – любые украшения, наряды, ароматы. Каждая из них попрощается с Гегаем, войдет к царю вечером, чтобы утром навсегда перейти в дом наложниц под надзор Шаазгаза, царского евнуха. Все, кроме одной, которую царь выберет себе в жены.

«И взята была Есфирь к царю Артаксерксу... И полюбил царь Есфирь более всех жен... и он возложил царский венец на голову ее и сделал ее царицею на место Астинь» (Есфирь 2:16–17). Звук фанфар – и по желанию царя корона водворяется на голове Есфири.

Царь, возможно, сам не понял, что его так привлекло в Есфири. Конечно, она была красивая, но там все девушки были отборные красавицы – на конкурс «мисс страны» обычно попадают «мисс» городов. Но красота Есфири была глубже, чем кожа, ее красота была не результатом притираний. Такую красоту не обретешь за год. Она тоже от притираний, но только совершенно другого рода – притираний характера, страданий, смирения, жизни в изгнании и огромной надежды на Бога.

Ее внешняя красота – это вырвавшаяся наружу внутренняя красота. «Красота спасет мир» – такое крылатое выражение появится через две с половиной тысячи лет, но это как раз о ней. Достоевский писал: «Красота спасет мир, если она добра. Но добра ли она?» Красота Есфири была добра, и поэтому она спасла свой народ.

Достоевский писал: «Красота спасет мир, если она добра. Но добра ли она?» Красота Есфири была добра, и поэтому она спасла свой народ.

Медовый месяц закончился. Но «жили они долго и счастливо» не наступило. В сказке про Золушку была злая мачеха, в сказках про принцесс есть драконы, а в этой истории там, где хотелось бы поставить точку, чтобы все закончилось хеппи-эндом, вдруг появился злобный Аман.

Пришло время испытаний – сначала для Мардохея, одиноко стоявшего фонарным столбом среди толпы, каждый раз падающей ниц перед проезжающим мимо вельможей. Он понимал, чем рискует, но не мог преступить заповедь **«Господу Богу твоему поклоняйся и Ему одному служи» (Матфея 4:10).** Высокомерный Аман никогда не заметил бы иудея, каждый день стоящего у царских ворот, но не поклоняющегося ему вместе со всеми, если бы ему не донесли об этом недоброжелатели Мардохея.

Тщеславному Аману было недостаточно его положения при дворе и быстрого возвышения. Жалкий иудей не просто расстроил его, он привел гордеца в ярость, и в его сердце зародился страшный план отмщения. **«И показалось ему ничтожным наложить руку на одного Мардохея... задумал Аман истребить всех Иудеев, которые [были] во всем царстве Артаксеркса...» (Есфирь 3:6).** И уже злая задумка Амана хитро вкладывается в уши царя, и перстень с царской руки уже в руках Амана, и гонцы мчатся в каждую область, во все концы государства с указом, скрепленным царской печатью. День истребления народа Божьего назначен, начался обратный отсчет.

А молодая царица живет во дворце, она даже не подозревает о смуте в городе и о том, что Мардохей стоит у ворот во вретище, осыпанный пеплом. Есфирь посылает к брату одного из евнухов, который в ответ приносит ей копию указа об истреблении иудеев и наказ от Мардохея – идти к царю, молить о помиловании своего народа.

Нет, нет, Мардохей, ты не в курсе местных правил, ты не знаешь дворцового этикета. И Есфирь посылает ответ: это невозможно! **«...всякому... кто войдет к царю... не быв позван, один суд – смерть...» (Есфирь 4:11).** Есть единственное исключение – если только царь протянет навстречу дерзкому незваному гостю свой золотой скипетр, тот останется жив. Но если бы только она была уверена в расположении царя. Похоже, настроение Артаксеркса быстро меняется – он не виделся с нею уже долгих тридцать дней.

Второй раз Есфирь получает сообщение от Мардохея, на этот раз еще более настойчивое и категоричное, – нет, он общается с ней не как с царицей, а как со своей сестрой, девочкой Гадассой. Но этой девочки больше нет! Есфирь мучают непростые вопросы: «Он действительно думает, что от меня что-то зависит? Я не в силах отменить царский указ – это закон мидян и персов, это железно и навсегда. Он действительно хочет отправить меня на верную смерть?» И вот что в ответ: **«Не думай, что ты [одна] спасешься в доме царском из всех Иудеев. Если ты промолчишь в это время, то свобода и избавление придет из другого места, а ты погибнешь» (см.: Есфирь 4:13–14).** А потом он сказал то, что в его глазах было недостающим пазлом в этой не складывающейся до сих пор картине его жизни и необычных поворотах в судьбе Гадассы: **«И кто знает, не для такого ли времени ты и достигла достоинства царского?» (Есфирь 4:14).**

Но в суровых словах брата она все-таки сумела расслышать любовь – не только к ней, но любовь к их народу. Многолетний навык послушания и способность прислушиваться к мнению других, посмотреть на ситуацию их глазами, – все это помогло молодой женщине принять самое сложное решение в жизни. «Моя жизнь больше меня самой, я здесь для чего-то. Да, мне кажется, что я в безопасности – во дворце много охраны, и никто не знает, что я иудейка. Это безумная идея – идти к царю без приглашения, дерзкий шаг навстречу смерти. Чем я, женщина, могу помочь целому народу? Царский указ уже доставлен во все города и области, каждый народ читает его на своем родном языке. Начался обратный отсчет – это уже просто вопрос времени. А с другой стороны, вдруг все-таки получится? "Не для такого ли времени?..” Это точно было провидение Божье? Но меня же выбрал царь, я просто оказалась в его вкусе. У Бога есть священники, пророки и левиты – разве могу я, простая девушка, быть той, на кого Он рассчитывает, чтобы спасти Свой народ?» В голове – хоровод противоречивых мыслей.

Гадасса уже превратилась в Есфирь. Теперь пришло время превращения Есфири в царицу, которая берет на себя ответственность за народ.

Гадасса уже превратилась в Есфирь. Теперь пришло время превращения Есфири в царицу, которая берет на себя ответственность за народ. И она делает это. «Я пойду к царю, хотя это против закона, и если погибнуть – погибну». Три дня поста Есфири, Мардохея и всех иудеев не были напрасными. Царь протянул к Есфири свой золотой скипетр, она была спасена от смерти. Но ей еще предстояло спасти иудеев.

Щедрый и соскучившийся по жене Артаксеркс пообещал исполнить любую ее просьбу, предлагая «до половины царства». Перед глазами молодой женщины не запрыгали нолики возможных миллионов, амбиции не нарисовали ей себя, запускающую свою собственную линию модной одежды, она не утонула в мечтах о том, что могла бы сделать с огромным богатством. В протянутой с золотым жезлом руке Артаксеркса Есфирь видела руку Божью и ответ на молитвы тысяч евреев.

Бог дал Есфири мудрый план – как преподнести свою просьбу царю. В ответ на щедрое предложение царя она попросила его уделить ей время и внимание. Вместо обвинений и просьбы о помощи она пригласила своего мужа и господина на пир вместе с недавно получившим повышение Аманом. Это должен быть пир, который остановит войну; банкет, который отменит кровопролитие. Хозяйка бала оказалась превосходным дипломатом. Девочка-сирота превратилась в героя – смелого ходатая за свой народ.

Наверное, когда уже были приняты меры, и все успокоилось, и иудеи отпраздновали свой новый праздник Пурим, и Мардохей стал вторым лицом в государстве, Артаксеркс понял, почему же он все-таки выбрал в жены красавицу Есфирь. Внешняя красота Есфири – это вырвавшаяся наружу внутренняя красота души и сила ее духа.

• УРОКИ ЖИЗНИ •

О БОГЕ. Нам всем нужен Мардохей, который сможет подсказать и подтолкнуть, вдохновить на правильное решение. Внутри каждого человека есть тихий голос совести, голос Святого Духа, подсказывающий, что следует делать. И часто мы слышим Его именно благодаря тем, кто тоже Его слышит и эхом повторяет в нашу жизнь правильные вещи. **«Когда же придет Он, Дух истины, то наставит вас на всякую истину: ибо не от Себя говорить будет, но будет говорить, что услышит, и будущее возвестит вам» (Иоанна 16:13).**

О НАС. Есть красота врожденная, унаследованная от родителей. А есть красота приобретенная. В хорошей генетике нет заслуги красавицы. У той, которая прошла годы «притираний», работая над своей душой и своим характером, красота иного рода, но не менее яркая и глубокая. И каждая, кто посвятит себя «уходу за собой», может стать красавицей! **«Да будет украшением вашим... сокровенный сердца человек в нетленной [красоте] кроткого и молчаливого духа, что драгоценно пред Богом» (1-е Петра 3:3–4).**

О ЖИЗНИ. Твоя жизнь больше тебя самой. Эгоизм и эгоцентризм, комфорт и стремление избежать любого стресса под маской гармонии с собой – это дух нашего времени. Эгоистичная жизнь пуста, самопожертвование же и ощущение того, что человек полезен и нужен другим, насыщает душу смыслом. **«Не о себе [только] каждый заботься, но каждый и о других» (Филиппийцам 2:4).**

О КРАСОТЕ. Красота души – это магнит. **«...мудрый привлекает души» (Притчи 11:30),** – пишет мудрый Соломон. «**Миловидность обманчива и красота суетна; но жена, боящаяся Господа, достойна хвалы» (Притчи 31:30).**

О РИСКЕ. Всему есть цена, и готовность платить ее пропорциональна любви. Есфирь любила свой народ так сильно, что попытка спасти его в ее глазах была достойна ее жизни и судьбы. Что ценно для нас, и чем мы готовы рисковать для этого? **«Нет больше той любви, как если кто положит душу свою за друзей своих» (Иоанна 15:13).**

9

МАРФА. СТРАХ VS ВЕРА

Моя мама никогда не ложилась спать вечером, не дождавшись папы домой. Наверное, от нее я переняла эту, возможно, хорошую, но неудобную привычку. Помню, как, уложив спать малышей, долгими поздними вечерами мама шила, стирала, переглаживала горы белья, ожидая возвращения папы с каких-то встреч или поездок. Я всегда старалась помочь ей справиться с делами по дому, чтобы осталось немного времени и мама села шить мне юбку. Самые красивые наряды в моем детстве и юности были сшиты или перешиты из «гуманитарки» моей мамочкой. Помню первые посылки с обувью и одеждой из Швеции – иногда нелепые и не подходящие нам фасоны одежды. Но красивая и качественная ткань плюс золотые руки мамы – и дети были одеты.

Лет десять назад одним поздним осенним вечером я ждала возвращения своего мужа из библейского колледжа. Василий преподавал в Такоме, под Сиэтлом, это 135 миль или чуть больше двух часов езды от нас. Он ездил туда каждый семестр, занятия заканчивались в 10:15 вечера, он звонил мне, когда выезжал, и к часу ночи обычно был дома. С осени и до весны наш вечнозеленый штат Вашингтон обильно поливается дождями. Мы привыкли к дождю, и единственное, где он мешает, – это за рулем в темное время суток.

Я уложила детей спать, наверное, переделала кучу дел, и решила позвонить Василию, зная, что под конец этой двухчасовой поездки он устал и, общаясь со мной, точно не уснет. На мой звонок муж не ответил. На следующие пять звонков тоже. Ночь, тишина, минуты тянутся медленно-премедленно, а мысли бомбардируют со страшной скоростью. Сначала я молилась и звонила ему. Когда на часах маленькая стрелка переползла за час ночи, я стояла возле окна, прислушиваясь к звуку каждой проезжающей машины в районе, и с трудом отбивалась от холодного и парализующего страха. Ну почему в таких ситуациях рисуются картины аварий и перевернутых машин в кюветах? И, если не пободрствовать пару минут, ты уже плачешь, будто на самом деле случилось что-то плохое.

Часа в 2 ночи я позвонила своим родителям в Москву и попросила их молиться, так как просто не знала, что мне делать. А потом я разбудила пожилых родителей мужа, зная, что давление и валерьянка после моего звонка им обеспечены. Но в тот момент я не могла победить страх сама, мне нужно было услышать их молитвы, услышать, что мой любимый в Божьих руках, в руках доброго Отца. И эти слова снова наполнили душу верой и доверием Богу, а там, где вера, нет места страху. Василий так и не позвонил мне – у него просто разрядилась батарея в телефоне, а в машине зарядного устройства тогда не было. Он на самом деле очень устал, заехал на заправку и, припарковав машину, уснул на пару часов. Ни о чем таком не думая, он зашел в дом в 3 часа ночи, тихонько открыл дверь, чтобы никого не разбудить, и почти испугался, когда увидел меня стоящей в коридоре и молящейся с его родителями по громкой связи.

Эх, зачем же столько слез, нервов и переживаний на ровном месте? Ерундовая ведь ситуация! Возможно. К сожалению, в жизни было много серьезных поводов для переживаний, а было и много надуманных страхов. И посмею предположить, что не у меня одной так. И дело не только в предрасположенности переживать о близких людях или о ситуациях, проблема намного серьезнее.

Страх – очень мощное оружие врага всех людей. Наверняка не найдется ни одного человека на земле, кому незнакомо это чувство. Несомненно, именно поэтому в Слове Божьем мы находим буквально сотни раз повторяющиеся слова Бога: «Не бойся!» Бог не просто призывает не бояться, Он показывает

Страх – очень мощное оружие врага всех людей. Наверняка не найдется ни одного человека на земле, кому незнакомо это чувство.

путь к победе над страхом – веру! И дает обетования Своего присутствия и помощи, а вера в Бога проявляется в доверии Ему. «Не бойся, и увидишь славу Божью», – говорил Марфе Иисус. И она увидела великую славу и великое чудо. Но перед этим она столкнулась с болезнью, страданием и смертью близкого человека.

У Иисуса было 12 апостолов, 70 учеников, множество последователей, критики, враги и друзья. Да, у Него были друзья в самом привычном для нас смысле этого слова – добрые старые знакомые, земляки, в доме которых всегда можно было остановиться, поужинать и переночевать. Мы читаем в Евангелиях историю об одной такой семье. Это была немного необычная семья – взрослые брат и две сестры. Они рано потеряли родителей, одна из сестер была обманута и, разочаровавшись в любви, избрала не лучший жизненный путь для себя. Но именно она познакомила брата и сестру с Иисусом, встреча с Которым полностью изменила не только ее погубленную жизнь и судьбу, но и их тоже.

Лазарь, Мария и Марфа жили в очень живописном месте – в небольшом селении Вифания на юго-восточном склоне Елеонской горы, практически в пригороде Иерусалима. Это красивое место было так близко к Иерусалиму и к величественному Храму и в то же время достаточно далеко от суеты и шума большого города. Как по расписанию, три раза в год их селение становилось многолюдным, когда толпы паломников со всех уголков Галилеи, Иудеи и самых отдаленных регионов Римской империи шли на поклонение в

Храм в положенные праздники. Потом Вифания снова входила в свой привычный размеренный ритм сельской жизни среди оливковых рощ, финиковых пальм и виноградников.

Основное население Вифании – переселенцы из Галилеи. Многие из них радушно принимали у себя на ночлег земляков, посещающих столицу по делам, торговцев или паломников. В любом городе есть те, кто не зазнался, не забыл своей малой родины и принимает в своих домах бывших земляков.

Предание свидетельствует о том, что в Вифании были специально выделенные дома милосердия, хосписы и ночлежки для бездомных и бедных. По иудейским законам, такие заведения должны быть расположены на расстоянии не меньше пятнадцати стадий, или трех тысяч локтей, от Храма, это примерно три километра.

Дословно Вифания означает «Дом страждущих», что никак не характеризует это место как элитный поселок. И, тем не менее, именно там Иисус любил бывать в годы Своего служения. И именно оттуда, с горы близ Вифании, Он вознесся на небо после Своего воскресения.

Мы читаем в Евангелии от Марка 14:3, что именно в Вифании был дом Симона прокаженного, которого исцелил Иисус. И там же, в Вифании, когда Мария помазала ноги Иисуса мирром, на упреки учеников Иисус, как бы указывая на очевидное, на окружающую их действительность, ответил: «Нищих всегда будете иметь у себя».

Познакомимся с сестрами и братом немного поближе. Нам мало что известно о них из Евангелий.

Лазарь, вероятно, был старшим братом и однозначно главой семьи, он, следуя традиции, заменял отца. Добрый, открытый и гостеприимный, он с радостью принял Иисуса, поверил Ему и всегда готов был предоставить Ему свой дом. Лазарь нес на себе груз ответственности за сестер. Переживал за Марию, ее судьбу, репутацию и за их будущее. А мужчины, они такие, – все держат в себе, переживают, а потом вдруг заболевают. И иногда из-за этого умирают.

Марфа и Мария – две родные сестры, но такие разные. Марфа – практичная, деятельная, старательная; Мария – созерцательная, спокойная и душевная. Невольно напрашивается ассоциация: они так похожи на двух братьев из притчи Иисуса о блудном сыне. Один – правильный, праведный в своих глазах, практичный и рациональный, делами доказывающий любовь к Отцу. Второй – импульсивный, ослушавшийся отца, но верящий в любовь и родительское прощение, принявший дарованную ему милость и в ответ проявивший глубокую любовь.

Марфа – правильная девочка, всегда послушная и делающая не то, что хочется, а то, что нужно. Похоже, она была старшей сестрой и, следовательно, хозяйкой в доме. В Евангелии от Луки мы читаем: **«...женщина, именем Марфа, приняла Его в дом свой; у нее была сестра, именем Мария...» (Луки 10:38–39).**

Иисус пришел в дом не один, с Ним была толпа голодных мужчин. Первой ее реакцией, как гостеприимной хозяйки, было начинать готовить еду и накрывать на стол.

Возможно, она была перфекционисткой: вчерашних лепешек и холодного мяса к вину для таких дорогих и почетных гостей явно недостаточно. И мы читаем о том, что она начала готовить «большое угощение». Она ждала помощи от сестры, а, так и не дождавшись, обнаружила ее сидящей у ног Иисуса и внимающей Его проповеди. Несомненно, истории Иисуса были очень интересными и захватывающими, Марфа и сама не прочь послушать бы их, но ведь некогда.

И тут мелькнула мысль о том, что сейчас – самая лучшая возможность «перевоспитать» сестру. Уж Иисуса она точно послушает. И вот имея такую потрясающую возможность обратиться к Самому Мессии, из всех нужд, просьб и вопросов, о которых она могла бы сказать Иисусу, Марфа выбирает следующее: «Господи, скажи ей, скажи Марии, чтобы она мне помогла!» А Он посмотрел на нее с огромной любовью и, наверное, немного с сожалением: **«Марфа! Марфа! ты заботишься и суетишься о многом, а одно только нужно; Мария же избрала благую часть, которая не отнимется у нее» (Луки 10:41–42).**

Иисус не говорил Марфе, чтобы она оставила приготовление ужина. Он не сказал ей: «Садись, пообщайся с нами, а Я потом совершу чудо и накормлю всех». Господь упрекнул ее не за то, ЧТО она делала, а за то, КАК она делала это.

Марфа заботилась, волновалась, переживала о многом. Но важнее выбирать то, что оставит след в вечности, что не отнимется у тебя.

Как человеку сознательному, ответственному и работящему, ей тяжело понять важность того, что выглядит как лень. Она не только осуждала свою сестру, развесившую уши в компании мужчин и полностью забывшую о своих обязанностях, но также была уверена, что уж проницательный Иисус все понимает и, конечно, поставит Марию на место. И вдруг такой поворот! После напоминания Господа о приоритетах, похоже, Марфа все-таки закончила готовить тот ужин, накормила их всех и, когда убирала со стола, наверное, думала о том, как же совмещать все в жизни, как найти баланс.

Практическая любовь, выражаемая в служении другим, – вот тот язык, на котором она говорила. Она признавалась в любви другим тем, что они носили постиранные ею вещи, сидели в убранном ею доме и ели приготовленную ею пищу. Марфа громко восклицала «Аминь!», когда в очередной раз слышала историю о том, как Иисус сжалился над толпами голодных людей и накормил их. В конце концов, Бог сотворил ее такой, Творец наделил Марфу способностями и талантами, реализуя которые она выражала свою любовь и преданность.

Что имел в виду Господь, говоря о выборе Марии? Что представляет собой та благая часть, которая простирается за пределы жизни и смерти? Благая часть – это когда люди важнее обеда, мир в душе важнее количества успешно завершенных дел, а терпение и любовь превышают желание впечатлить кого-то экстравагантными блюдами. Утоление духовного голода спасает от смерти вечной, и потому желудок не важнее души.

Утоление духовного голода спасает от смерти вечной, и потому желудок не важнее души.

Мария – здесь история не совсем ясная нам и неоднозначная. Мы читаем о Марии, помазавшей ноги Иисуса мирром и отершей своими волосами во время праздничного ужина в доме Симона прокаженного, что находился в Вифании. Да, это как раз тот случай, когда все уважаемые мужчины передернулись от презрения и подумали: «Если бы Он знал, кто она…» Да, да, они-то знали, и некоторые из них даже не понаслышке, кто она, и очень надеялись, что она не запомнила их лиц той темной ночью.

Можно только предполагать, что могло толкнуть девушку из обычной семьи так низко пасть. То ли горе от потери родителей сломило ее, то ли несчастная любовь или обман мужчины, которого она любила и надеялась, что он женится на ней. Достоверно одно: чаще всего женщины, продающие свою «любовь», – это разбитые сосуды, отчаянно нуждающиеся в любви, одинокие и несчастные, отверженные родными, ненавидимые всеми женщинами города и презираемые мужчинами, даже теми, кто, заплатив, побывал в их объятиях. Эти женщины представляют собой пустую и несчастную душу в красивом теле. Пустота в умеющих соблазнять глазах; пустота в постели под утро, когда любовники возвращаются домой к женам; пустота в душе, которую не наполнить ничем, потому что она, как разбитый сосуд, не может удержать в себе ничего.

И вот одна из тех, чьи судьбы разбиты, Мария, слышит о Мужчине, не похожем на всех остальных. Он видит душу и сердце и, как лучший Врач, может их исцелить. А ведь ей это очень нужно, с ее диагнозом у всех остальных один прогноз – позорная смерть. Но попасть к Нему непросто, кроме нее, есть тысячи желающих. Вокруг Него всегда толпы зевак, учеников, больных, прокаженных, бесноватых и просто голодных людей. Как завладеть Его вниманием, кто позволит ей, если даже детей не пускают к Нему?

Мария знает, что не протянет долго, ей срочно нужно показать Доктору свою больную душу. Прийти без приглашения в дом Симона, на пир, который он устроил для Иисуса и Его учеников, было сумасшедшей идеей. Прийти туда ей, падшей женщине, – неслыханная дерзость и огромный риск нарваться на большие неприятности. Но когда твоя душа и так едва жива, жажда жизни намного сильнее страха. И Мария решается. Она идет в дом, из окон которого льется свет, а по улице разносятся прекрасные запахи вина и жареного мяса, слышна музыка, периодически заглушаемая оживленной беседой большой группы мужчин.

И вдруг шум, царивший во время пира, прервался и повисла гробовая тишина. Несколько десятков пар глаз вспыхнули гневом, у некоторых на лицах появилась пренебрежительная гримаса. Как ОНА посмела? Но Мария не видит никого вокруг. Она встретилась взглядом с Иисусом, и в этой мертвой тишине беззвучно происходит очень важный диалог, содержание которого знают только она и Он. И она все поняла. От осознания того, что прощена, закружилась голова. У нее был дорогой подарок, который она принесла Иисусу в качестве щедрого пожертвования (выручки от него им хватит надолго, все-таки это годовой доход). Но от избытка чувств Мария просто разбила кувшин и вылила на ноги Мессии драгоценное мирро.

И это было просто внешним выражением того, что произошло в ее ожесточившейся душе: она сокрушилась, все твердыни, обиды, претензии – все разбилось вдребезги. И лед в ее сердце, обманутом и уже не верящем в любовь, растаял. И было его очень много – огромный айсберг внутри такого хрупкого тела. Он таял и слезами вытекал из глаз. И запыленные ноги Иисуса, орошенные ее слезами, Мария вытирала своей гордостью, роскошными длинными волосами. В тот момент она вся была у Его ног – с достоинствами и недостатками, со всем своим имуществом и накоплениями,

И лед в ее сердце, обманутом и уже не верящем в любовь, растаял. И было его очень много – огромный айсберг внутри такого хрупкого тела. Он таял и слезами вытекал из глаз.

которые она расточила ради Него, не жалея об этом ни на секунду.

А когда она поднялась, уже под ропот и недовольный шепот находящихся там праведников, Иисус сначала обратился к ним, а потом уже к ней. И заставив их умолкнуть, Он засвидетельствовал, что принял ее жертву и принял ее саму. Первый раз в жизни она видела такого Мужчину, Который смотрел на нее и видел ее душу, видел ее сердце, и впервые в жизни она узнала, что такое настоящая Любовь – исцеляющая, принимающая, окрыляющая и возвращающая жизнь и надежду.

Такой была история Марии, и как после этого она могла стоять у очага, когда Сам Иисус был в их доме? Ее место было у Его ног, она сама не думала о пище тленной и не думала о том, что кого-то нужно было кормить. Ей нужен был Хлеб, который был только у Иисуса, и, встретившись с Ним, она думала о том, как утолить свой духовный голод, а не накормить их обедом.

Шло время. Пришла беда – заболел Лазарь. Заболел очень серьезно. Переживать не о чем, они же лично знакомы с Иисусом! Они не раз слышали о стольких чудесах, совершенных Им. Превратившиеся в легенды, эти истории пересказывались на городской площади и у колодца. Они слушали их вечерами в своем доме за ужином от учеников и даже из уст Самого Иисуса. Даже просто слушая эти рассказы, они чувствовали сверхъестественную силу Божью, сопровождающую служение их земляка из Галилеи.

Все, что нам нужно, это Иисус! И Мария и Марфа твердо верили в то, что ответ – в Иисусе! Их вера была сильной и непоколебимой. Лазарь, потерпи, мы уже послали за Учителем, Он скоро будет. Как настоящий Друг, Он обязательно поспешит и поможет! Сколько раз у Иисуса просили помощи разные люди – для себя, для своих родных, детей и даже для слуг. Но в этот раз просьба была особенной: «Тот, кого Ты любишь, болен». Они будто пытались сказать: «Иисус, Тебя всегда окружают толпы народа, нужд так много, но сейчас дело касается близких Тебе людей, которых Ты любишь».

Иисус получил сообщение – «доставлено и прочитано». Но больной Лазарь – в Вифании, а Иисус – нет. Скорая помощь «задержалась» не на пару часов, а на несколько дней. Это странное промедление было совершенно нелогичным и непонятным не только ожидающим Иисуса сестрам, но и Его ученикам. И только когда Лазарь умер и через три дня был похоронен, Иисус сказал ученикам: «Теперь пора идти. Лазарь умер, но Я иду воскресить его».

Кажется, что Своим промедлением Господь хотел еще раз проиллюстрировать то, что у Него нет любимчиков, что Его семья и Его близкие – это те, кто окружает Его сейчас. О да, Он любил эту семью, Он ценил их, но Он пришел для того, чтобы

Иисус пришел для того, чтобы познакомить весь мир с Любовью – непонятной, нелогичной и невиданной до того.

познакомить весь мир с Любовью – непонятной, нелогичной и невиданной до того.

Четвертый день после похорон Лазаря. Марфа слышит о том, что Он идет, она бросает все и бежит навстречу Иисусу. Бежит с недоумением, болью, слезами, непониманием, обидой. Без соблюдения формальностей и забыв о приветствии, она произносит первые слова – это комок боли, вырвавшийся резким упреком: «Если бы Ты был здесь, не умер бы брат мой!»

Она верила, она по-прежнему верила, что Иисус мог бы исцелить его. Но она не верит, что сейчас возможно что-то изменить. Иисус не отвечает на ее упрек, не извиняется и не оправдывается. Иисус говорит: «Воскреснет брат твой». Марфа все помнит и знает доктрины, ее теология в норме. Да, Господи, я в курсе, когда-то, в последний день, все оживут. Но обнадеживающее «когда-то» не помогает унять боль «сейчас».

Он говорит ей: «Я есть Воскресение и Жизнь», – но она не находит в этих самых важных на свете словах ответа на свою боль и на смерть брата. «Верующий в Меня, если и умрет, оживет». И потом Он задает ей самый важный, очень прямой и личный вопрос: «Ты веришь этому?» Разве Марфа уже забыла о том, что случилось с Марией? Разве не была она мертва духовно, и разве не воскресил Господь ее дух и душу?

Она ответила: «Да, Господи, я верю в Тебя, ты Бог Великий, Всемогущий, Вездесущий и Всеведущий. Но здесь, в моей ситуации, уже слишком поздно. Это все есть, но не для меня». В это время появляется Мария в сопровождении их друзей, а к Иисусу приходит скорбь, захватившая даже Самого Сына Божьего, заплакавшего, видя боль близких ему людей.

Иисус спрашивает, где похоронен Лазарь, и просит открыть вход в могилу. Наверное, Мария наблюдала за всем этим с благоговением, но Марфа... Марфа верит во Всемогущего Бога и так же сильно верит в невозможность чуда. Ее прагматичность опирается на факты, даты, аргументы. Четыре дня во гробе. Брат мертв. Иисус не пришел вовремя. Слишком поздно. Точка невозврата.

Марфа верит во Всемогущего Бога и так же сильно верит в невозможность чуда. Ее прагматичность опирается на факты, даты, аргументы. Четыре дня во гробе. Брат мертв. Иисус не пришел вовремя. Слишком поздно. Точка невозврата.

«Не сказал ли Я тебе, что, если будешь веровать, увидишь славу Божию?» Не бойся, только веруй!

Почему Иисус говорит Марфе именно о страхе? Разве это самая большая преграда на пути к чуду? Страх, что уже ничего не изменить, что чудо невозможно, что оно просто не для меня. Но увидеть славу Божью можно, только если будет вера, а вера и страх не могут сосуществовать. Невоз-

> Увидеть славу Божью можно, только если будет вера, а вера и страх не могут сосуществовать. Невозможно сказать: «Я верю во Всемогущего Бога, но я боюсь, что чудо невозможно». Это взаимоисключающие утверждения. Или ты веришь, или ты боишься. И у каждого есть этот выбор.

можно сказать: «Я верю во Всемогущего Бога, но я боюсь, что чудо невозможно». Это взаимоисключающие утверждения. Или ты веришь, или ты боишься. И у каждого есть этот выбор.

А Мария? Мария уже научилась преодолевать страх, когда шла в дом Симона прокаженного. Там собрались все мужчины – влиятельные люди города и самые святые люди в лице Иисуса и Его учеников. А что, если они выгонят ее или даже побьют камнями? Но она преодолела свой страх и пришла к Иисусу с покаянием. И хотя она была права в своих опасениях, так как из глаз праведников, собравшихся там, на нее лился поток презрения и осуждения, Иисус не прогнал ее. А это самое главное, потому что пришла она не к ним. Она, конечно, помнила, как некоторые из них приходили к ней. Но она пришла к Нему, и ее душа ожила от Его любви и принятия. Однажды она уже была свидетелем воскрешения – воскрешения ее собственной души. Мария верила.

Мария, Марфа, ученики, плакальщики и просто зеваки – не только они наблюдали за происходящим на окраине Вифании. Весь духовный мир наблюдал: одни – в предвкушении торжества и победы; другие – в страхе от предчувствия того поражения, которое потерпит смерть через короткое время совсем недалеко от могилы Лазаря, на Голгофе.

Там, где страх, – нет веры; там, где есть вера, – нет места страху!

Иисус не идет во гроб, на территорию смерти, он остается на другой стороне и повелевает мертвым выйти в жизнь. Он зовет его: «Лазарь, выйди вон!» И Лазарь выходит! И завывания плакальщиц, и всхлипывания сестер переходят в крик восторга, изумления и победы! Там, где страх, – нет веры; там, где есть вера, – нет места страху! И Марфа увидела славу Божью, как Иисус и обещал ей.

Последняя суббота земной жизни Иисуса. Из Вифании Иисус направлялся в Святой город за неделю до Своей смерти. Это был триумфальный въезд Его в Иерусалим – верхом на осле, во исполнение пророчества. Люди устилали дорогу пальмовыми ветвями и одеждами, приветствуя Его как Царя. Но Он знал, что ждет Его буквально через несколько дней и что эта же толпа, кричащая сегодня «Осанна!», будет так же громко кричать «Распни!».

Перед вознесением на небо воскресший Иисус был снова в Иерусалиме, и вывел Он Своих учеников к Вифании, и благословил. Он дал им Великое Поручение и оттуда вознесся на небо (см.: Луки 24:50). Возможно, Лазарь, Мария и Марфа были свидетелями этого и приняли поручение от Самого Господа.

> Нет большего счастья, как видеть славу Божью в своей жизни и в жизни тех, кто обрел Его и поверил Ему.

Вера твоя спасла тебя; не бойся, только веруй! Мария и Марфа, уже столько всего видевшие в своей жизни и столько испытавшие, бесстрашно пошли исполнять поручение Учителя. Потому что нет большего счастья, как видеть славу Божью в своей жизни и в жизни тех, кто обрел Его и поверил Ему. Не бойся, только веруй!

• УРОКИ ЖИЗНИ •

О БОГЕ. «Близок Господь к сокрушенным сердцем, и смиренных духом спасет» (Псалом 33:19). Вифания – город, в котором любил быть Иисус, а там жили одни больные и бедные. **«...не бойся, ибо Я с тобою; не смущайся, ибо Я Бог твой; Я укреплю тебя, и поддержу тебя десницею правды Моей» (Исаия 41:10).**

О НАС. Не заботиться и не беспокоиться – не значит ничего не делать. Иисус больше говорил Марфе о ее подходе, отношении к делу. Есть преходящее, а есть вечное. Как часто мы переоцениваем важность внешних, материальных вещей, но если мысленно перенести себя на пять или десять лет вперед, разве кто-то будет помнить об этом? У нас есть выбор в наших приоритетах. Не беспокойся о многом, избирай то, что не отнимется у тебя. Избирай инвестировать себя, свое время и силы в то, что сможешь взять с собой в вечность. Люди и отношения неизмеримо важнее многих дел, мероприятий и проектов. **«Ищите же прежде Царства Божия и правды Его, и это всё приложится вам» (Матфея 6:33).**

О ЖИЗНИ. У каждого человека свой путь. На самом деле нет ОБЩЕпринятых норм и стандартов, но есть примерные критерии, по которым большинство людей разделяют всех на «хороших» и «плохих», на «успешных» и «неудачников», на «праведных» и «грешных». А Бог в Слове Своем говорит:

«...нет праведного ни одного... все согрешили и лишены славы Божией...» (Римлянам 3:10, 23). И брат блудного сына был не блудный, но гордый; и фарисей, осуждающий грешного мытаря, был слеп в самоправедности. Мы все нуждаемся в Иисусе. Вместо «Господи, скажи ей!» лучше сказать: «Испытай меня, Господь, не на опасном ли я пути?»

О СТРАХЕ. Думаю, абсолютно каждый человек в какой-то мере испытывал страх – и не только физический. Во все времена враг наших душ успешно использовал это оружие против мужчин, женщин и детей. Достаточно посеять семя, оно вырастет и заглушит все, парализуя и удушая, как удав, крепко окольцевавший свою жертву. Противоядие от страха – вера. Они не могут сосуществовать. Мы верим тем, кого любим и кто любит нас. Верить Богу могут принявшие Его любовь и живущие в ней. **«В любви нет страха, но совершенная любовь изгоняет страх, потому что в страхе есть мучение. Боящийся несовершен в любви» (1-е Иоанна 4:18).**

О «СМЕРДЯЩИХ», О МЕРТВЫХ ЛЮДЯХ ВОКРУГ НАС. Не торопись списывать людей или ситуации как «безнадежные» и мертвые. Мы можем верить бесконечно, потому что наш Бог не только исцеляет, но и воскрешает! Насколько сильно мы хотим увидеть сверхъестественную победу? Рецепт один – выключить страх и включить веру, потому что Сам Иисус сказал: «Веруй и увидишь славу Божью!» **«Скажи им: живу Я, говорит Господь Бог: не хочу смерти грешника, но чтобы грешник обратился от пути своего и жив был...» (Иезекииль 33:11).** Любовь долготерпит.

10

ОКСАНА. ДВАЖДЫ ЗАМУЖЕМ ЗА ОДНИМ

В жизни не однажды нам был дан второй шанс, и у каждого из нас была возможность дать второй шанс кому-то.

«Дай мне шанс, я прошу,
Я хочу все изменить,
Я хочу начать сначала,
Слышишь?!»

Олег Богомаз

Маленькая свадьба, которая стала для меня одной из самых ярких в моей жизни. В одном из небольших залов нашей церкви на фоне небольшой ширмы, украшенной ветками и цветами, стояла красивая пара – высокие молодые люди, обоим было под 30 лет. Невеста без фаты и не в свадебном платье, но с букетом в руках. Этот букет с любовью сделала ее подруга, одна из немногих гостей и свидетелей этого бракосочетания. Это был обычный будничный день, но происходило совершенно не будничное событие. Рядом с ними стоит мальчик 8 лет – их общий сын.

Оксана второй раз выходит замуж за Олега – за того самого, с которым они уже однажды поженились десять лет назад, а потом разошлись. За того же и одновременно уже за другого – измененного. Эта свадьба – день победы! Победы, одержанной во вселенской войне, для которой нет географических, политических или национальных границ. Во все времена, в любой культуре эта война поражает людей разного возраста, разрушая самое святое, то, что предназначено быть основанием общества, – семью.

> «И сотворил Бог человека по образу Своему. Мужчину и женщину сотворил их». Оказывается, Совершенный Человек, человек с большой буквы, – это тот, кто не в единственном, а во множественном числе: «сотворил человека – сотворил их».

И, наверное, началось это в Едемском саду, когда Бог сотворил человека. Здесь речь идет о сотворении человека не в том смысле, в котором мы обычно понимаем это слово, а как задумал Бог: «И сотворил Бог человека по образу Своему. Мужчину и женщину сотворил их». Оказывается, Совершенный Человек, человек с большой буквы, – это тот, кто не в единственном, а во множественном числе: «сотворил человека – сотворил их».

И уже в самом начале этой идиллии был враг, был змей, и его диверсия началась именно с того, что он посеял в сердце сомнение и недоверие. «Ты достойна большего, ты можешь жить лучше, тебя обманывают, не обязательно слушаться, кто смеет ограничивать твою свободу?» – это его почерк, и шепчет он это уже много тысяч лет в уши многим тысячам Ев. И тысячи Адамов слышат «муж господствовать будет над женой» намного громче, чем «мужья, любите своих жен, как Христос возлюбил Церковь и отдал Себя за нее». И рушатся семьи, разводятся мужчины и женщины, по веским причинам очень редко, в большинстве случаев это происходит просто оттого, что отношения супругов накрывает лавина, состоящая из небольших снежинок охлаждения отношений, нежелания элементарно уступать друг другу в мелочах, непрощения, обид, взаимных претензий.

А если смотреть глубже, то распадаются семьи от полного отсутствия или недостатка духовного «клея». Это происходит, когда в центре семьи нет Того, Кто держит их в Своей сильной руке, из которой их никто ни-

Клей семьи – любовь. Бог есть Любовь. Бог – Суперклей, присутствие Которого делает две соединенные вещи неразделимыми.

когда не может похитить. Клей семьи – любовь. Бог есть Любовь. Бог – Суперклей, присутствие Которого делает две соединенные вещи неразделимыми.

Оксана познакомилась со своим будущим мужем в старших классах школы; ему было 16, ей – 15. Она – высокая, стройная, кареглазая брюнетка, смелая и яркая. Он – голубоглазый блондин, немного застенчивый, спокойный и очень добрый. Они оба из многодетных семей, он из Украины, она – из России. В американской школе славяне держатся обычно вместе, завязывается дружба, и у некоторых дружба перерастает в любовь.

Сначала Олег носил ее тяжелые учебники на переменах из класса в класс, потом начал подвозить домой на своей машине. Он уже подрабатывал в автомастерской, и, как оказалось, у Олега не только доброе и щедрое сердце, а еще и золотые руки. В Вашингтоне молодые люди могут получить водительское удостоверение уже в 16 лет, но страховка первые несколько лет очень дорогая. Большинство детей продолжают приезжать в школу на школьном автобусе, а самые проворные, кто успевает и учиться, и заработать на страховку и бензин, – на машинах.

В любом случае, обычно первая машина старшеклассников в Америке не впечатляет, но головы всех одноклассников поворачивались, когда на школьную парковку подъезжала красавица Оксана на ярко-красном кабриолете *BMW* с черной крышей – и в этом была заслуга Олега. Для него было очень важно, чтобы его девушка ездила на красивой машине. Он помог Оксане недорого купить слегка помятую машину и сам починил ее. Так он проявлял свою любовь к ней. На школьный выпускной они пришли, конечно, вместе – влюбленные и молодые, готовые перелистнуть страницу школьных лет и вступить во взрослую жизнь. Вместе.

Если любят, пусть женятся! Родные и друзья, глядя на жениха и невесту, думали: такие молодые и влюбленные, они так подходят друг другу – просто идеальная пара! Большая, шумная свадьба на пару сотен человек, венчание, слова наставления от пастора, много пожеланий счастливой семейной жизни от гостей. Позади остались месяцы подготовки, планирования и обдумывания всех деталей: фотосессия для пригласительных открыток, составление списка гостей, меню, украшение зала, букеты на столы, фотограф и видеосъемка, выбор машины для молодых, свадебное платье, друзья и подруги жениха и невесты и их наряды, подготовка программы праздника и, наконец, планы на медовый месяц. Как много подготовки, и как быстро пролетает этот долгожданный день свадьбы – день рождения семьи, когда они двое стали «Человек».

Свадьба – это еще в какой-то мере и будильник, пробуждающий влюбленных от эйфории и идеализации друг друга к реальности жизни, к знакомству с ними настоящими, такими, как мы все дома – без макияжа на лице и на душе. Особенности или недостатки характера, притирка нравов – это одна история, но когда вдруг радикально меняется маршрут, «семейную ладью» заносит на поворотах и кидает на обочину. Две тропинки, слившиеся в одну дорогу, заводят в тупик.

Всего несколько месяцев прошло после свадьбы, а молодая жена уже проводит вечера в одиночестве, дожидаясь мужа с работы только для того, чтобы покормить его и увидеть, как он идет проводить оставшийся вечер с друзьями, а возвращается нетрезвым. Тут уж начались слезы, периодические скандалы, взаимные претензии. Как жить, когда любовь есть, а понимания нет? Может, это уже не любовь?

Они оба хотят ребенка, и, забеременев, Оксана надеется, что с прибавлением в семье муж будет проводить дома времени больше, чем с друзьями. Ребенок – это тоже клей, еще крепче соединяющий семью, знакомя родителей с любовью совершенно другого уровня. Это настолько сильный клей, что когда предпринимается попытка разорвать предназначенное быть одним, то отрывается только «с мясом», оставляя никогда не прекращающую кровоточить рану.

Когда предпринимается попытка разорвать предназначенное быть одним, то отрывается только «с мясом», оставляя никогда не прекращающую кровоточить рану.

Алкоголь или наркотики – одна из таких темных сил, вторгающаяся без разбора в души сыновей и дочерей, матерей и отцов и уродующая все на своем пути. Когда малышу было два годика, Оксана узнала, что Олег уже не просто выпивает, но принимает наркотики. Это уже не просто будильник, это трезвонящий колокол. Что делать? Куда бежать? Где искать помощь?

Муж все понимает, уверяет ее в своей любви, преданности и обещает бросить свои дурные привычки. Она ему верит. Он обещает и искренне хочет этого, но пока не может справиться.

Дальше – несколько сложных лет. Предпринимаются попытки наладить жизнь. За периодами хороших отношений следуют срывы и скандалы. Потом прощение, несдержанные обещания, беседы со служителями, молитвы и надежды. Время идет, сын растет, а надежда на перемены в жизни тает.

Далее развод.

Оксана остается одна с ребенком, выходит на работу, затем берет еще подработку. Сыну исполняется пять лет, он идет в школу. Дни пролетают быстро, вечера и ночи тянутся долго. Мучают бесконечные вопросы: «Что будет дальше? Как

Не так часто муж или жена берет на себя ответственность за распад семьи, чаще винят кого-то или даже неодушевленные предметы: отношения развались из-за алкоголя, наркотиков, лени, недостатка денег, отсутствия детей или просто охлаждения.

жить? Каким вырастет сын? Сыну нужен пример отца, мне нужен муж».

«То, что Бог сочетал, то человек да не разлучает». Эти слова обращены не к третьему лицу, не к посторонним, которые могут только попытаться вторгнуться в священный союз двоих. Эти слова обращены именно к двоим – ты не разлучай свою же собственную семью. Не так часто муж или жена берет на себя ответственность за распад семьи, чаще винят кого-то или даже неодушевленные предметы: отношения развалились из-за алкоголя, наркотиков, лени, недостатка денег, отсутствия детей или просто охлаждения чувств. Как будто это все происходит, не имея никакого отношения к решениям и выбору двух человек, когда-то так крепко связанных любовью.

Олег периодически появляется, он продолжает любить жену и сына, снова и снова предлагает попробовать жить вместе, просит дать ему еще один шанс. Он не сдерживает слова, снова выпивает, Оксана уже не верит ему. Когда нет доверия, нет отношений.

Новый год – семейный праздник. Но если его не с кем разделить, это не праздник вовсе. В этот вечер почти все подводят итоги минувшего года, принимают решения и строят планы на год наступающий. Подруга пригласила Оксану встретить Новый год в небольшой новой церкви – хорошая возможность познакомиться с новыми людьми.

И вот с этого началось исцеление не только семьи, но и сердца самой Оксаны. А ее преданное сердце было израненным, одиноким и, кажется, уже не способным надеяться и доверять. Такое исцеление стало возможным, потому что в церкви ее ждали не только новые друзья, ее ждал Сам Иисус. Да, она всегда знала Его, но сейчас Он хотел провести ее новым путем и познакомить с исцеляющей силой прощения.

Оксана начала посещать эту церковь с сыном. А когда Олег забирал сына на выходные, а потом привозил обратно, они встречались в церкви. Как-то он приехал раньше и зашел в зал во время служения. Затем еще раз. И еще.

Раньше Оксане казалось, что только Олег должен измениться. Ведь это ему нужно освободиться от зависимости, он должен снова заслужить ее доверие, доказать, что изменился и что все будет по-другому.

Да, она молилась об их семье, об Олеге, но чем больше она это делала, тем чаще слышала саму себя в молитве, просящей Бога изменить именно ее сердце и ее отношение. И чудо началось именно с нее. А все, что было потом, – это цепная реакция: свет, прощение, надежда и любовь.

Чем больше она молилась, тем чаще стал появляться рядом Олег. Он давал обещания, как и десятки раз до этого, но теперь сдерживал их. «Надолго ли? Как только добьется своего, снова начнется. Мы уже четыре года в разводе официально. Стоит ли наступать на те же грабли дважды?» – да, сомнения никогда не оставляли. Оксана даже несколько раз приезжала на работу к Олегу без предупреждения, и вместе они ехали делать драг-тест. Он держался. Держался, поскольку понял, что остаться на прямом пути можно, только держась за руку Отца.

Однажды, в воскресенье, когда они втроем были на служении в церкви, Олег сделал шаг вперед и вышел к алтарю. В присутствии жены, сына и всей церкви он признал, что нуждается в помощи. И, кажется, именно там и тогда он протянул свою руку и вложил ее в руку Отца – крепко и навсегда. Только так он сможет вести свою семью. Олег получил не только прощение от Бога, но и прощение своей семьи. А приходя к Богу, мы имеем доступ к престолу благодати, где находим силу и помощь. Его освобождение произошло чудесным образом, без реабилитационных центров и программ. Кажется, что он настолько открыл свое сердце для Иисуса и Его любви, что там просто не осталось места ни для какой другой привязанности. Олег стал рабом Христа, и в этот самый миг обрел настоящую свободу.

Передать другому мы можем только то, что получили сами. Второй шанс дают не те, кто гордо бьет себя в грудь, упиваясь своей правотой или самоправедностью, а те, кто побывал у креста, и теперь этот крест в центре их жизни, как

Второй шанс дают не те, кто гордо бьет себя в грудь, упиваясь своей правотой или самоправедностью, а те, кто побывал у креста, и теперь этот крест в центре их жизни, как пример прощения, которое они сами получили. Не прощать они уже просто не могут.

пример прощения, которое они сами получили. Не прощать они уже просто не могут.

Воскресенье, солнечный день, я стою в холле и встречаю членов нашей церкви и гостей перед началом служения. Некоторых я вижу впервые, протягиваю им руку, знакомлюсь и приглашаю в зал. Другие – постоянные члены церкви, наши друзья, за несколько лет ставшие родными для нас людьми.

Через стеклянные двери я вижу, как по ступенькам поднимается семья – молодые красивые родители и мальчик-подросток рядом с ними. Отец держит на руках маленькую девочку – зеленоглазую блондинку, а мама придерживает рукой свой животик: она на последних месяцах беременности. Скоро у них родится третий ребенок, еще одна девочка-принцесса.

Их сын уже имеет ответственное поручение – служит в медиа-департаменте: церковные служения транслируются в Интернете, и он ответственный за одну из камер. Папа преподает в старшей группе воскресной школы, учится в библейской школе и не упускает возможности рассказывать об Иисусе – в кафе, на улице и даже своим клиентам на работе. А счастливая жена и мама смотрит на своих мужчин с любовью и поддерживает их во всем.

Я не знаю, как часто теперь она вспоминает те тоскливые вечера, которые проводила в одиночестве с сыном, переживая о будущем и сожалея о самых лучших годах молодости. Наверное, не часто. Теперь она хозяйка в красивом новом доме, который открыт для друзей и гостей, – они с мужем ведут домашнюю группу. Оксана каждый день ждет мужа с работы, ее ужины вызывают восхищение у всех, кто их пробовал, и у многих, кто только видел фото в Инстаграме.

Многие, кто видит их семью сегодня, с трудом поверят, что все написанное выше – о них, об Олеге и Оксане. А если мы вдруг в разговоре с ними вспоминаем прошлое, они всегда говорят: это все изменить было по силам только Богу. Когда Он в центре жизни и на первом месте в семье – все остальное становится на свои места, и жизнь вдруг обретает смысл, который простирается за пределы земной жизни. Но именно эти вечные ценности придают нашей земной жизни настоящий вкус и цвет. Мы вместе, потому что склеены «Суперклеем» – не той любовью, смысл которой обесценен миром, а Любовью с большой буквы. Любовью, которая не раз давала нам всем и учит нас давать другим – надежду и второй шанс.

Когда Бог в центре жизни и на первом месте в семье – все остальное становится на свои места, и жизнь вдруг обретает смысл, который простирается за пределы земной жизни.

• УРОКИ ЖИЗНИ •

О БОГЕ. Наш Бог – Бог, дающий второй шанс, долготерпящий, многомилостивый и прощающий. Открывая Библию, мы читаем истории людей, подобных нам, – они совершали ошибки, каялись, получали от Бога второй шанс. Пророк Иона, со второго раза согласившийся проповедовать ненавистным ему ниневитянам; судья Израиля Самсон, после ошибок и поражения попросивший у Бога шанс и отомстивший филистимлянам; Давид, Саул, апостол Петр и блудный сын – все они и многие другие получили второй шанс. Бог – это Любовь, которая дает второй шанс и не вспоминает прошлого. **«...грехов и беззаконий их не вспомяну более» (Евреям 10:17).**

О НАС. Наделив человека свободой, Бог наделил его способностью изменяться – как в худшую, так и в лучшую сторону. Успешные и благополучные сегодня могут превратиться в бедных и несчастных завтра, и наоборот. **«Посему, кто думает, что он стоит, берегись, чтобы не упасть» (1-е Коринфянам 10:12).** То, где человек находится сегодня, – это результат его выборов вчера, и, соответственно, то, где мы будем завтра, во многом определяется нашими сегодняшними решениями. В какой бы ситуации мы ни были сегодня, мы не обречены оставаться там. Для тех, кто знает Бога, всегда есть надежда и есть выход из любой ситуации. Да, не по мановению волшебной палочки, во многом нужны усилия и работа над собой, но перемены возможны! «**...возрастайте в благодати и познании Господа нашего...» (2-е Петра 3:18).**

О ЖИЗНИ. Очень много в жизни построено на доверии. Доверие теряется, разбивается, исчезает, как пар, от обмана и предательства. Доверие не восстанавливается, нельзя найти старое или потерянное, не получится склеить разрушенное. Нужно новое – это всегда вновь принятое решение поверить. Не всегда оно заработанное или заслуженное, его можно давать в кредит, авансом. И кредит доверия – это то, что окрыляет и вдохновляет на перемены и на подвиги тех, кто когда-то мог его разрушить. «**...принимайте друг друга, как и Христос принял вас...» (Римлянам 15:7).**

О ВТОРОМ ШАНСЕ. Начиная от Адама и Евы, абсолютно каждый из людей если не падал, то спотыкался. «Кто без греха?» – это, несомненно, риторический вопрос. Не дать второго шанса – выбор тех, кто не осознал, сколько им самим прощено. **«Благоразумие делает человека медленным на гнев, и слава для него – быть снисходительным к проступкам» (Притчи 19:11).**

О СЕМЬЕ. Идеальных семей и идеальных отношений не существует. Пока мы живем, продолжается борьба между плотью и духом; между тем, что нужно сделать и что хочется. Семьи, которые «держатся» вместе, – это два несовершенных человека, твердо решивших, что хорошие отношения дороже того, чтобы добиться своего или доказать свою правоту. «**...но будьте друг ко другу добры, сострадательны, прощайте друг друга, как и Бог во Христе простил вас» (Ефесянам 4:32).**

11

ДОЧЕРИ САЛПААДА. НАСЛЕДСТВО БЕЗ НАСЛЕДНИКА

Принявшие наследство, сохранившие имя Отца

Мои родители – очень богатые люди. Нужно отдать должное маме – папу сделала богатым именно она, родив ему сыновей и пять дочерей. Папа всегда любил говорить, что живет в цветнике. Помню, когда я еще была подростком, он, обращаясь к нам, приговаривал: «Дочери вы мои, дочери Салпаадовы». Мы понятия не имели, что это значит, но для себя я решила, что это образная речь, устойчивое выражение, наверняка сравнение с какими-то потомками некоего Салпаада.

Спустя несколько лет, когда я сама начала проявлять интерес к Библии и читать не только Новый Завет, Псалмы и Книгу Притчей, наткнулась на историю о дочерях Салпаадовых. Она была очень короткой и показалась мне ничем не примечательной. Прошло двадцать лет, в очередной раз перечитывая Книгу Числа, я остановилась на этой истории, и вдруг передо мной развернулась совершенно другая картина.

Пять дочерей Салпаада – о них написано в трех книгах Библии: в Числах, Иисуса Навина и Паралипоменон. Четыре раза авторы Писания перечисляют их всех по именам, упоминая лишь один случай из их жизни – дело, объединившее пять незамужних девушек. Они поставили перед собой цель, для достижения которой им пришлось преодолеть множество препятствий.

> **«И пришли дочери Салпаада, сына Хеферова, сына Галаадова, сына Махирова, сына Манассиина из поколения Манассии, сына Иосифова, и вот имена дочерей его: Махла, Ноа, Хогла, Милка и Фирца; и предстали пред Моисея и пред Елеазара священника, и пред князей и пред все общество, у входа скинии собрания, и сказали: отец наш умер в пустыне, и он не был в числе сообщников, собравшихся против Господа со скопищем Кореевым, но за свой грех умер, и сыновей у него не было; за что исчезать имени отца нашего из племени его, потому что нет у него сына? дай нам удел среди братьев отца нашего.**

И представил Моисей дело их Господу. И сказал Господь Моисею: правду говорят дочери Салпаадовы; дай им наследственный удел среди братьев отца их и передай им удел отца их; и сынам Израилевым объяви и скажи: если кто умрет, не имея у себя сына, то передавайте удел его дочери его; если же нет у него дочери, передавайте удел его братьям его; если же нет у него братьев, отдайте удел его братьям отца его; если же нет братьев отца его, отдайте удел его близкому его родственнику из поколения его, чтоб он наследовал его; и да будет это для сынов Израилевых постановлено в закон, как повелел Господь Моисею» (Числа 27:1–11).

Два-три миллиона евреев в пустыне. Долгий кружной путь длиной в сорок лет и много испытаний. Остросюжетная драма, тысячи смертей, и многократное коллективное наступание на одни и те же грабли ропота, неверия и странной тоски по чесноку, пирамидам, рабству и кнутам египтян. У границы обетованной земли нет тех,

---

За спинами нового поколения – миллионы костей, погребенных в пустыне, страшные истории рабства, тяжкие испытания во время путешествия. И очень сильная надежда на светлое будущее в стране, где текут молоко и мед.

кто начинал это путешествие. За спинами нового поколения – миллионы костей, погребенных в пустыне, страшные истории рабства, тяжкие испытания во время путешествия. И очень сильная надежда на светлое будущее в стране, где текут молоко и мед.

Цена за бунт и ропот уплачена жизнями тех, ради кого и был Великий Исход. Приговор вынесен – из множества мужчин и женщин, прошедших по сухому дну Чермного моря, из сотен тысяч, выживших после язв и укусов змей, из десятков тысяч, переживших зной, жажду и язвы, из всех, мечтавших о рае земном, – в конце концов, войдут в него только единицы. Единицы в буквальном смысле этого слова. Иисус Навин и Халев. И войдут их дети – много-много тысяч тех, кто только слышал истории о Египте, и о Чермном море, и о змеях. Те, кто похоронил в знойной пустыне своих родителей.

И вот теперь, через сорок лет после Исхода, они стояли у границ земного рая. И перед тем, как войти туда, распределяли между коленами и кланами города и территории, которые им еще предстояло завоевать. Двенадцать колен распределяли по жребию земли, источники и города, как повелел им Господь. Потом они будут передавать эти уделы из поколения в поколение своим потомкам, в пределах своего колена, сохраняя имя отцов в будущих поколениях. Завоевывая города, они переименовывали их или добавляли к названию имя своего праотца. Так появилась гора Ефремова, Ласем был переименован в Дан, как и многие другие города с окрестными селами. Но оказалось, что, несмотря на столь продуманную систему, кто-то остался обделенным, и эта ситуация привлекла внимание Моисея.

Пять молодых женщин – Махла, Ноа, Хогла, Милка и Фирца.

Пять молодых женщин без отца или мужей, за спины которых можно было бы спрятаться.

Пять женщин на Востоке три с половиной тысячи лет назад.

Пять женщин, обитательниц парумиллионного палаточного городка, решившие добиться аудиенции у самого Моисея. Девушки пошли за водой, у колодца или у источника случайно встретились с Моисеем и, пользуясь случаем, мило улыбаясь, попросили об одолжении? Нет, не так просто это было.

Благодаря Иофору, тестю Моисея, ставшему свидетелем бесконечных очередей истцов, день и ночь ожидающих решения своих вопросов или споров, в израильском обществе была налажена система правосудия. Сначала истец шел со своей просьбой к десятнику; если тот затруднялся с решением, выписывал направление к пятидесятнику. Тот уже шишка побольше и более занятой, соответственно, и очередь к нему длиннее. Потом сотник, затем тысяченачальник, далее начальник десяти тысяч, потом – ста тысяч.

Их два-три миллиона, а Моисей только один. К тому же он предпочитает проводить время в присутствии своего лучшего друга – Святого Бога. То на горе дней сорок подряд, то в скинии собрания – в палатке за станом. Его святость достигла такой степени, что простым смертным больно смотреть на него, сияющего Божественным светом. Как можно записаться к нему на прием? Не беспокойте святого человека по пустякам.

Я представляю себе достойного мужчину, окруженного десятком таких же достойных мужей. Он с округлившимися от удивления глазами выслушивает просьбу женщин – их пятеро, и все по одному вопросу: идея, доселе не озвученная, то есть бредовая. Репутация их семьи тоже не лучшая. Но говорят они очень убедительно и, похоже, отступать не собираются.

Немного зная историю и культуру того времени, мы можем только вообразить, какой путь прошли сестры, скольких «господин-начальников» им пришлось убедить в важности своего вопроса. В кратком библейском повествовании мы читаем лишь о том, что они добились этой аудиенции с первым лицом. Все хорошо помнили, чем может закончиться такая публичная беседа, когда настойчиво добиваются своей «правды». После одного неудачно решившегося «вопроса» все, требовавшие «своей» справедливости и правды, прямо во время аудиенции были поглощены преисподней. Дочери Салпаада тоже знали историю Корея, Дафана и Авирона, революционеров, попытавшихся свергнуть Моисея. Знали о том, как не надо поступать. И понимали, что есть разница между поиском новых путей и бунтом против устоявшейся власти.

Именно с этого они и начали свой удивительно краткий для женщин рассказ в присутствии Моисея, священника Елеазара, князей и всего общества. Они начали говорить о своем отце. И суть как раз в том, что просили они не о себе, а об отце, о том, чтобы сохранить его имя в его народе. В этом, наверное, и был секрет получения положительного результата. Отец не участвовал в бунте Корея и его сообщников против Моисея. Почему сестры сочли необходимым сообщить эту деталь? И что? Отец не участвовал в бунте, и мы не бунтари – пришли не с претензиями, а с просьбой.

Некоторые раввинистические предания говорят, что Салпаад был тем самым стариком, собиравшим дрова в субботу, жизнь и смерть которого стала наглядной иллюстрацией 4-й заповеди: «Помни день субботний, чтобы святить его». Некоторые считают, что он умер за другой грех. А разве не все то поколение полегло в пустыне за грех ропота против Бога? Возможно, он был просто одним из многих тысяч, кому опротивела манна и белое солнце пустыни. Но, даже согрешившие и погибшие «за грех свой» в своих детях и внуках, они могли наследовать землю обетованную и владеть ею. Все, кроме таких, как Салпаад, – ведь без сына род прекращал существование.

Мы не за себя просим. За что исчезать имени отца нашего? Это крик души ходатаев. И просьба – смелая и конкретная: дай нам удел среди братьев отца нашего. Махла, Ноа, Хогла, Милка и Фирца – пять молодых женщин, объединенных не только кровными узами, но и единой целью. Они не обвиняли Моисея в предвзятости или шовиниз-

Дочери Салпаада не обвиняли Моисея в предвзятости или шовинизме. Они не кричали о несправедливости и не устраивали революции.

ме. Они не кричали о несправедливости и не устраивали революции. Земля под ними не разверзлась и не поглотила их. Моисей не отправил сестер домой варить борщ, вязать носки, смиряться и молиться, чтобы кто-то взял их замуж.

Он воспринял их всерьез. Полистал кодекс недавно полученных от Бога законов и постановлений. Если нет такого положения в законе, тогда спрошу у Бога лично. Моисей, ты серьезно? Таких тут миллионы, времени мало, много стратегических вопросов. Ты пойдешь к Богу, чтобы узнать, что ответить этим девушкам? Но и Бог воспринял их серьезно. И вот ответ Самого Бога (иллюстрация к тому, что о Нем потом напишет Давид: «Он создал сердца всех их, и Он вникает во все дела их»): «Правду говорят дочери Салпаадовы. Дай им удел отца их». Конец цитаты.

И потом: «Да будет это для сынов Израилевых постановлено в закон». Так родилась первая поправка к Закону, и всем стало лучше. Есть разница между поиском новых путей и бунтом против устоявшейся власти. Рождение нового не всегда должно означать смерть старого.

Богатство, да и, наверное, любое имущество обязывает к тому, чтобы правильно им распоряжаться, и к ответственности за то, чем владеешь. В очень короткой истории о пяти сестрах отмечена одна важная деталь – они были праведными. Наверное, это включает в себя не только праведность перед Богом, соблюдение заповедей, но и справедливость. Они не только хотели получить то, чего добивались, но были готовы соблюсти условия: вышли замуж за тех, кого определили им, – за своих двоюродных братьев.

> Богатство, да и, наверное, любое имущество обязывает к тому, чтобы правильно им распоряжаться, и к ответственности за то, чем владеешь.

«Как повелел Господь Моисею, так и сделали дочери Салпаадовы. И вышли дочери Салпаадовы Махла, Фирца, Хогла, Милка и Ноа в замужество за сыновей дядей своих; в племени сынов Манассии, сына Иосифова, они были женами, и остался удел их в колене племени отца их» (Числа 36:10–12). Девушки были смелые, но не дерзкие, – приняли не только наследство, но и ответственность за него, подчинив свою личную жизнь той же цели, которая толкнула их на поиск справедливого решения.

Наследство. Наследные принцы, графские титулы, поместья и фамильные драгоценности – это же из книг и фильмов, это не о нашей жизни. Но глубоко внутри, возможно, и есть жажда доблестного подвига и благородного поступка. Сохранить имя Отца. Не упустить своего наследства, войти в законное владение тем, что обещано нам.

Завещание вступило в силу после смерти Завещателя, Который сказал, что дает нам Свой мир и любовь, цель и смысл жизни. Слишком большая цена была заплачена, чтобы нам просто потеряться среди сотен тысяч других в своем городе, тихонько пить свой кофе и жить серенько. Разве же это не про нашу жизнь?

Наследство нельзя заработать или выиграть. Его получают даром, но только те, кто имеет на это право. Это имущество, которое передается «следующему» владельцу. Тот, кому оно принадлежит по праву, передает следующему.

Цель нашей жизни – вступить во владение причитающимся наследством, сохранить его и передать другим.

Чем нас наделили? Кроме цвета глаз и формы носа, полученных от физических родителей, мы были усыновлены и удочерены Небесным Отцом и получили в наследство что-то большее. Цель нашей жизни – вступить во владение причитающимся наследством, сохранить его и передать другим.

Мое наследство:

· Дух Святой – залог нашего наследия (см.: Ефесянам 1:14).

· Благословения – Бог благословил нас всяким духовным благословением во Христе (см.: Ефесянам 1:3–14).

· «Господь есть часть наследия моего и чаши моей. Ты держишь жребий мой» (Псалом 15:5).

· Мы дети Божьи, наследники Божьи, сонаследники Христу. Сам Бог вписал нас в Свое завещание (см.: Римлянам 8:16–17).

· Спасение – наше наследство (см.: Евреям 1:13).

· Бог просветил очи, чтобы мы увидели богатство славного наследия для святых (см.: Ефесянам 1:18).

· Благодатная жизнь – это наследство, и женщины – сонаследницы такой жизни (см.: 1-е Петра 3:7).

Двое родных братьев живут в пещере на окраине Будапешта, в Венгрии, Золт и Гиза. Им чуть больше 40 лет, большую часть жизни они охотятся за чем-нибудь ценным на свалках и продают всякую мелочь за гроши. У них есть сестра, которая устроила свою жизнь в Америке. В детстве все они были брошены матерью. Братья слышали, что мать родом из очень богатой семьи, но она была сложным человеком и разорвала всякие отношения с ними и с их отцом. Они не виделись с нею до ее смерти.

А еще через несколько лет, после смерти их бабушки по материнской линии, жившей в Германии, ее представители разыскали братьев через сотрудников благотворительной организации. И вот они уже обладатели 100 миллионов евро. А сколько лет они рылись в мусорных баках просто потому, что не знали, что они миллионеры. Они спали в пещере, грязные и голодные, поскольку не получили того, что давно и законно принадлежало им.

Еще один несчастный «счастливчик» – бездомный 67-летний алкоголик и наркоман – убегал от полицейских, которые искали его, чтобы сообщить новость о том, что он унаследовал 6 миллионов долларов. Он убежал, его так и не нашли, и он никогда так и не получил своего наследства. Эх, досада, подумают многие.

А ведь нас окружает так много бедных и несчастных, которые не услышали самой лучшей новости об их богатом Отце и причитающемся им наследстве. А некоторые услышали, но захлопнули дверь перед теми, кто принес им эту весть, просто не поверив, что все так просто. «Бесплатный сыр бывает только в мышеловке», – умничают они, даже не выслушав до конца посланников и не узнав, какая цена уже была уплачена. Они не знают, что им принадлежит, и живут жалкой безрадостной жизнью.

Нас окружает так много бедных и несчастных, которые не услышали самой лучшей новости об их богатом Отце и причитающемся им наследстве.

От нас зависит, примем мы во владение свое наследство или нет. Это может быть непросто и потребует преодоления препятствий. Но когда видишь перед собой цель, которая стоит усилий и трудов, то сможешь пробиться через толпу, через всех «десятников и пятидесятников».

Мы – дочери, рождающие своих собственных сыновей и дочерей, которым хотим передать огромное богатство – веру в Бога, в Его Слово, знание Его силы и присутствия. Мы не можем передать в наследство то, чего у нас нет.

Мы – дочери, рождающие своих собственных сыновей и дочерей, которым хотим передать огромное богатство – веру в Бога, в Его Слово, знание Его силы и присутствия.

Дочери Салпаадовы, давайте двигаться вперед, через толпу, через рутину будней – вперед к наследству! Имя Отца нашего – народам до края земли. Богатство славного наследия – нам и детям нашим! Чтобы спустя годы, оглядываясь назад, мы видели не только пустыню, которую нам пришлось пройти, но и землю обетованную, и могли сказать: «Пути мои прошли по приятным местам, и наследие мое – приятно для меня». Мне нравится моя жизнь.

• УРОКИ ЖИЗНИ •

О БОГЕ. Поправка к закону. Спроси Бога, у Него есть ответ на любой вопрос, не прописанный в учебниках. Моисей уже получил заповеди и закон от Бога. Услышав новый вопрос, который не вписывался в рамки известных ему правил и законов, он шел и спрашивал Бога о решении. И потом исполнял его. **«От высокомерия происходит раздор, а у советующихся – мудрость» (Притчи 13:10); «...воззови ко Мне – и Я отвечу тебе...» (Иеремия 33:3).**

О НАС. Проверка мотивов. Не все в жизни бывает по-моему. Дочерям Салпаада дали наследство, но с условием, что замуж выйти они могли только за представителей своего колена. Это очень ограничивало смелых и умных девушек. Но их мудрость и порядочность прошли проверку и показали, почему Бог сказал о них Моисею: они правы. Их мотивы были правильными. Они не были революционерками, стремящимися доказать несправедливость, необъективность и предвзятость. Они не потеряли фокуса и цели всего этого предприятия, даже когда их свободу ограничили. **«Я, Господь, проникаю сердце и испытываю внутренности, чтобы воздать каждому по пути его и по плодам дел его» (Иеремия 17:10).**

О ЖИЗНИ. Моя жизнь больше меня. Каждый человек – часть чего-то большего: семьи, общества, страны. Как часто мы готовы идти дополнительную милю не только ради своих интересов или выгоды? В любой «общественной деятельности» сдвигаются границы личного и общего. В истории с дочерями Салпаада благое дело – продлить имя отца, ввести новый закон – отразилось на их личной жизни и замужестве. **«Не о себе [только] каждый заботься, но каждый и о других» (Филиппийцам 2:4).**

О МЕТОДАХ. Не революция, а эволюция. Нововведения не должны приходить путем бунта против существующего порядка, руководства. Есть два пути. Один – «против» чего-то существующего или против тех, кто не продумал, не позаботился, не обеспечил. Второй – «за» – это путь оптимизации, роста и усовершенствования. Делай лучшим все, чего ты касаешься! **«...уклоняйся от зла и делай добро; ищи мира и стремись к нему, потому что очи Господа [обращены] к праведным и уши Его к молитве их, но лицо Господне против делающих зло...» (1-е Петра 3:11–12).**

О РЕШИТЕЛЬНОСТИ. Из-за смелости пяти девушек изменился закон. Всем семьям с такой ситуацией стало лучше. И это новое правило ввели в закон и в постановление в Израиле. Наши решения и действия сегодня изменяют не только нашу жизнь, но и будущие поколения. **«...ибо дал нам Бог духа не боязни, но силы и любви и целомудрия» (2-е Тимофею 1:7).**

12

НОЕМИНЬ. НОВОЕ НАЧАЛО В ГОРЬКОЙ СУДЬБЕ

Целых десять лет у меня было две мамы: мама «ты» и мама «Вы» – моя родная мамочка и свекровь (хотя я ее так никогда не называла), мама моего мужа.

Мы с Василием поженились, когда нам было по 26 лет. Оба взрослые и самостоятельные, уже несколько лет как оставившие родительский дом. Но в каком бы возрасте молодые или не очень молодые люди ни женились, они не только создают свою собственную семью, но и становятся частью большой семьи или родства.

Знакомство и «вхождение» в новую семью у всех происходит по-разному – легко или болезненно, поверхностно

Человеческие взаимоотношения – самая важная составляющая нашей жизни, источник самых больших радостей и самой сильной боли.

или осторожно, с распростертыми объятиями или вообще никак. Человеческие взаимоотношения – самая важная составляющая нашей жизни, источник самых больших радостей и самой сильной боли. Я всегда верила, что в моей жизни нет случайных людей или знакомств. Тем более это касается отношений с людьми, с которыми мы соединены семейными узами. Эти отношения – часть Божьего плана в Его работе над нашими характерами.

Я родилась, когда моим родителям было по 20 лет, а родителям мужа, когда он появился на свет, было по 40. Если брать разницу в возрасте, то они были мне как дедушка и бабушка. Мама «Вы» родила троих сыновей и очень часто сетовала по поводу того, что у нее нет дочери. Жизнь с четырьмя мужчинами сформировала ее и внешне и внутренне – строгой, не избалованной вниманием и рано постаревшей. Мама «ты» растила пять дочерей и всегда была нам и мамой и подругой. Сначала она наряжала нас в платьица и плела косички, сейчас мы дарим ей платья и делаем прическу.

Выходя замуж, девушка понимает, что теперь у нее будет еще одна мама, еще одна старшая женщина в ее жизни, с которой они будут вместе готовить большие семейные ужины по праздникам, ездить по магазинам, советоваться по всем житейским вопросам. Но для таких отношений нужно пройти путь принятия друг друга, научиться понимать и любить.

Так получилось, что я познакомилась с мамой «Вы» уже после того, как вышла замуж за ее сына. Она была приятной пожилой женщиной с вьющимися седыми волосами, всегда собранными в пышный пучок на затылке под полупрозрачной косыночкой. Я сразу поняла, что не очень ей понравилась, но не могла определить, чем именно. То ли не годились мои подкрашенные волосы, то ли джинсы, но я однозначно не соответствовала ожидаемому образу «правильной» невестки.

Прошло пару лет, у нас родилась Катерина, и вместе с ней мы переехали из России в Америку, где уже жили родители мужа. Мы с Василием души не чаяли в нашем пухлом пупсике, но бабушка при первом знакомстве сразу сказала, что «Катьками в деревнях называют коз» и что мы должны назвать дочь Кристиной. Несомненно, Кристина – очень красивое имя для кого-то, однако нашей девочке уже четыре месяца, и ее зовут Катерина! В конце концов, у нее есть официальные документы – свидетельство о рождении и паспорт. Две женщины и маленькая девочка – одна упорно называет ее Кристиной, вторая каждый раз поправляет, говоря: «Мама, нашу дочь зовут Катерина!»

Мы никогда не конфликтовали с мамой «Вы», общались вежливо и в основном по делу. Муж, не стесняясь, обнимал меня при маме и говорил, как сильно он меня любит и как

> Муж, не стесняясь, обнимал меня при маме и говорил, как сильно он меня любит и как мы счастливы вместе.

мы счастливы вместе. А когда она начинала высказывать в адрес чего-то, что ей не нравится, он подходил к ней, крепко обнимал и говорил: «Мамочка, вы не переживайте об этом, мы вас любим, все хорошо».

Прошло несколько лет. Я даже не заметила, как и когда мама перестала называть Катюшу Кристиной, когда перестала приносить мне некрасивые длинные юбки («Наверное, у тебя нет, если в штанах ходишь»), перестала обращать внимание на цвет моих волос и на что-то еще, что ей раньше не нравилось. Мы жили рядом и виделись с родителями по нескольку раз в неделю.

У нас родились еще сын и доченька. Сейчас я совершенно не представляю, как бы мы справились без помощи родителей. Да, мы старались обходиться сами, – они пожилые, к тому же у мамы сахарный диабет, больное сердце и высокое давление. Но они никогда не отказывались приехать и побыть с детками. Называли их не иначе, как «Катериночка, Павличек и Арианночка», и, несмотря на мои протесты, всегда баловали детей подарками, конфетами и чипсами. Все стены в их квартире были завешаны нашими фотографиями, детскими рисунками и открытками от внуков. Они с такой радостью ждали нас в гости, готовили самую лучшую еду на их вкус, а я украдкой уговаривала детей попробовать и похвалить бабушку.

Меня мама всегда называла «Оличка» и, как я теперь понимаю, часто просто придумывала поводы, чтобы я заехала к ней. Мама умерла внезапно от инфаркта в 2011 году. Буквально за несколько дней до смерти она просила меня приехать перевести инструкции на каких-то бутылочках с новыми витаминами. Был поздний вечер, я возвращалась после женского общения в церкви и заехала к ней. Дети уже спали дома, и я засиделась у мамы.

Помню, как начала рассказывать ей о том, что в моем сердце, о служении женщинам, о судьбах некоторых из них. Рассказывала о том, что мне говорит Господь, чем я делилась с ними. И эта 71-летняя бабушка, которая никогда раньше не верила, что женщина может служить Словом, глядя на меня глазами, полными слез, с большой любовью говорила: «Оличка, я всегда молюсь о тебе и благословляю тебя, пусть Господь даст тебе сил и мудрости». До бутылочек с витаминами мы так и не дошли, я вышла из их квартиры, как всегда, с банками маринованных огурцов (которые мы, не успевая съедать, ставили в гараже на полку), с пакетами еще чего-то и с очень теплым чувством в душе.

А еще маме делали операцию за несколько месяцев до смерти, и однажды в больнице я невольно подслушала один разговор. В тот день дежурила русская медсестра, и когда она зашла в палату что-то проверить, я вышла в коридор сделать звонок. Дверь была открыта, и пока я искала номер, услышала, как медсестра знакомится с мамой, расспрашивает об операции, потом о семье, и затем я слышу, как мама отвечает на ее вопрос о девушке, которая только что была в палате: «Это доченька моя». Это было ее лучшее признание в любви, и эта любовь была взаимной.

> Я слышу, как мама отвечает на вопрос медсестры о девушке, которая только что была в палате: «Это доченька моя». Это было ее лучшее признание в любви, и эта любовь была взаимной.

Очень интересно, что в Библии из 66 книг две названы именами женщин. Их звали Руфь и Есфирь. Эти книги знакомят нас с историями женщин, одна из которых еврейка, ставшая женой языческого царя; а вторая, наоборот, язычница, которая вышла замуж за иудея, стала прабабушкой царя Давида и удостоилась того, чтобы занять место в родословии Самого Спасителя Иисуса.

В литературе есть такое понятие, как главный и заглавный герой. Книга названа в честь Руфи, она – в центре повествования и считается заглавным героем. Но главным героем этой книги мне все-таки видится Ноеминь. Там описаны история ее семьи и ее жизненный путь. Мы видим превращение счастливой женщины в исполненную горечи вдову, похоронившую сыновей; а потом прекрасное преображение Мары (что значит «Горькая») в счастливую бабушку Овида. Драма, превратившаяся в роман с хеппи-эндом.

Дети, особенно сыновья, во все времена считались благословением и богатством. С годами, с веками сильно утратилась важность и значимость семьи, многочисленного родства, наследников, продолжателей рода. Эти ценности постепенно вытесняются поиском самореализации, личностного развития, карьеры, да и просто комфорта. В еврейской культуре, как и во многих других, бездетность считалась проклятьем, а многодетность – благословением. **«Вот наследие от Господа: дети; награда от Него – плод чрева. Что стрелы в руке сильного, то сыновья молодые» (Псалом 126:3–4).**

Дети, особенно сыновья, во все времена считались благословением и богатством. С годами, с веками сильно утратилась важность и значимость семьи, многочисленного родства, наследников, продолжателей рода.

В свое время Елимелех считался очень успешным и благословенным человеком. Красавица жена и двое сыновей – он уже богатый человек, даже если не считать приличного участка земли в Вифлееме и положения в обществе. Что важнее для мужчины, для главы семейства – патриотизм или забота о своей семье? Этот вопрос встал перед Елимелехом, когда их страну постигло тяжкое испытание – голод.

Было это около тысячи лет до Рождества Христова, в один из самых темных периодов в истории Иудейского царства. Отгремели войны, и позабылись славные подвиги Иисуса Навина, завоевавшего земли для всех 12 колен Израилевых. И кажется, жить бы им долго и счастливо на своей обетованной земле, где текут молоко и мед, растить детей, пасти стада и почитать Своего Бога, подарившего им свободу от рабства и новую жизнь. Но не очень получалось у многочисленных потомков Иакова дружно жить и помнить Бога. Забывали они Его заповеди и постановления, хотели быть как те, другие народы: и богов видимых иметь, идолам поклоняться, и поступать так, как хочется, а не как повелел Бог через Моисея. Это было время, когда, несмотря на существующий закон Божий, регламентирующий религиозную, гражданскую и семейную жизнь, **«каждый делал то, что ему казалось справедливым» (Судей 21:25).**

Так продолжались периодические отступления израильского народа от Бога и Его попытки вернуть их к Себе. В большинстве случаев это происходило после оккупации врагами, голода, войн и последующего избавления под предводительством одного из судей, поставляемых Богом. В скорби ведь все вспоминают Бога, а Он, Благой, всегда отвечает и спасает – и второй, и пятый, и десятый раз. В один из таких мрачных периодов отступничества Иудею поразил голод.

Трудности можно либо пережить, либо попытаться убежать от них. Не всегда это получается: иногда, убегая от одной неприятности, попадаешь в другую. Это происходит потому, что трудности допущены, чтобы изменить нас, переплавить, перефокусировать. Они – как полоса с препятствиями: как бы ни было тяжело, надо бежать вперед, свернул в сторону – хоть налево, хоть направо, – ты проиграл. Здесь цель одна – преодолеть все преграды и дойти до финиша.

Елимелех и Ноеминь стояли на бесплодных полях родного Вифлеема и пытались сделать правильный выбор.

> Они – как полоса с препятствиями: как бы ни было тяжело, надо бежать вперед, свернул в сторону – хоть налево, хоть направо, – ты проиграл. Здесь цель одна – преодолеть все преграды и дойти до финиша.

Патриотизм – это хорошо, но когда на твоих руках дети, то ответственность за их жизни и инстинктивное родительское желание защитить, уберечь от несчастья берут верх. И они убежали из своей земли на чужбину, на поля Моавитские. Ушли на территорию врага, как взбунтовавшийся подросток убегает из дому любящего родителя, потому что тот дисциплинирует или ограничивает его «свободу». Эмигрировали, продемонстрировав свое недоверие Богу. Солидарность и национализм не устояли перед страхом потерять близких. А кто из нас первый бросит в них камень?

Если бы они только понимали то, о чем позже скажет Соломон в своих притчах: **«Наказания Господня, сын мой, не отвергай, и не тяготись обличением Его...» (Притчи 3:11).** Моавитяне – потомки Лота, имевшего сына от своей же старшей дочери. Это одна из самых непристойных историй, содержащихся в Ветхом Завете. Лот вышел из Ура Халдейского вместе со своим дядей Авраамом, но не разделил его судьбы и пути веры, переселившись в Содом и Гоморру.

Бог поделился со Своим другом Авраамом намерением истребить города, погрязшие в грехе, и дядя неотступно ходатайствовал о Лоте и его семье. Посланники Бога вывели из обреченных на истребление Содома и Гоморры Лота и его семью со строгим наказом: убегая, не оглядываться назад. Жена Лота оглянулась и осталась стоять вечным соляным памятником на полпути между смертью и жизнью, а две его дочери решили проявить инициативу в вопросе продолжения рода своего же отца. Каждая, переспав с отцом, родила сына, от которых произошли целые народы – аммонитяне и моавитяне.

Столетия спустя потомки Авраама будут завладевать землей, на которой поселились потомки Лота, – и одни будут врагами других. Вот к этому народу и пошел Елимелех с семьей из своей данной Богом, но пораженной голодом земли. Они обустроились в новой стране и решили остаться там. Нам неизвестно, что именно произошло, но глава семьи умер, оставив жену с двумя сыновьями одну в чужой земле.

Интересны значения имен членов этой семьи. Елимелех с древнееврейского буквально означает «Мой Бог – мой царь», Ноеминь – «Моя услада», а вот имена их сыновей: Махлон означает «слабость, болезнь», а Хилеон – «страждущий». Такие позитивные и полные жизни имена родителей, и такие негативные имена детей. То ли мальчики росли слабыми и болезненными, и Ноеминь боялась возвращаться с ними в Иудею, где был голод, то ли это было их общее решение остаться в Моаве, но они решили устраивать свою жизнь там.

На полях Моавитских было изобилие всего, включая красивых девушек. И забылось на чужбине, что не позволял Бог сыновьям Своего народа жениться на иноплеменницах. Молодые парни Махлон и Хилеон нашли себе невест и сыграли свадьбы. Ноеминь, наверное, воспрянула духом и надеялась найти утешение в детях и внуках. Прошло долгих десять лет. Невестки Орфа и Руфь так и не подарили ей внуков. Вместо радости и долгожданных детей их постигло двойное горе: оба сына Ноемини умерли.

Три смерти в одной семье, и три вдовы. Много горя, слез, сожалений и много вопросов. И Ноеминь («Приятная») решает, что «услады» в жизни не осталось, а ее имя должно отражать действительность, и переименовывает саму себя в Мару («Горькую»). И вдруг эту тьму безнадежности и одиночества прорезает луч света – хорошая новость из Иудеи. Ноеминь **«услышала… что Бог посетил народ Свой и дал им хлеб» (Руфь 1:6).**

Погибли все. Это не зависело от Ноемини. Но горечь – ее выбор. Как часто обстоятельства жизни не подвластны нам, но то, кем мы становимся в этих обстоятельствах, во многом зависит от нас. Весть о посещении Богом Своего народа вселила в сердце Ноемини надежду и веру. Они ушли из своей страны по своему собственному выбору, но пришло время сделать еще один выбор – остаться на чужбине или вернуться. **«И встала она со снохами своими и пошла обратно с полей Моавитских…» (Руфь 1:6).**

> Погибли все. Это не зависело от Ноемини. Но горечь – ее выбор. Как часто обстоятельства жизни не подвластны нам, но то, кем мы становимся в этих обстоятельствах, во многом зависит от нас.

Три одинокие женщины, принявшие серьезное решение. Все трое шли навстречу неизвестности, но цену они платили разную. Для Орфы и Руфи это был безумный шаг: оторваться от своей семьи, родных, культуры, религии и идти навстречу полной безнадежности. Даже если они были очень красивые, у них было три огромных минуса: кто женится на вдовах иностранного происхождения с десятилетним стажем «бездетности»? Ноеминь понимала это, и чем дальше от Моава они отходили, тем больше она сомневалась в правильности принятого ими решения.

Стоп! Нет, это неправильно и несправедливо по отношению к вам! Это мой путь, мое решение, а значит, и последствия тоже мои. Мужественная свекровь благодарит невесток за их доброту к покойным сыновьям и к ней и отпускает, уговаривая остаться на родине, устроить свою судьбу, найти счастье. За десять лет она привыкла к ним, полюбила их, но настоящая любовь ведь ищет не своего, а того, что будет лучше для них. Ноеминь от всего своего материнского сердца благословила, обняла, поцеловала и отпустила.

Но годы любви и заботы, годы рассказов об Иудее и о Боге Израилевом, о народе Божьем и о Его верности к ним –

это все не прошло даром. По крайней мере, в сердце Руфи это не только оставило отпечаток, но отвернуло ее сердце от мерзких идолов и богов Моава и прилепило к Богу Ноемини. Орфа вернулась домой, а Руфь сказала прекрасные слова, которые потом станут выражением верности для многих тысяч посвященных сердец – верности до смерти. **«...куда ты пойдешь, туда и я пойду, и где ты жить будешь, там и я буду жить; народ твой будет моим народом, и твой Бог – моим Богом; и где ты умрешь, там и я умру и погребена буду... смерть одна разлучит меня с тобою» (Руфь 1:16–17).**

Две женщины пришли в Вифлеем Иудейский и привели в движение весь город. Люди узнали и одновременно не узнавали в осунувшейся поседевшей женщине когда-то счастливую и цветущую Ноеминь.

Она думала, что родные места и родные стены залечат ее огромную рану, но они, наоборот, лишь разбередили ее, напомнив о прошлой счастливой жизни. Какой яркий контраст за десять лет: был муж – теперь она вдова; были сыновья – теперь она бездетная; был достаток – вернулась с пустыми руками; было счастье – теперь страдание и несчастье! Осталось только прежнее имя, которое они помнят. Но это уже не я! Ноеминь умерла вместе с мужем и сыновьями. «Называйте меня Марою!» – сказала она своим друзьям и соседям, будто мало ей было горечи, и она хотела слышать при каждом обращении к ней: горькая, горькая.

А дальше вдруг события приняли совершенно неожиданный поворот, превратив эту драму в романтическую историю. Ноеминь и Руфь пришли в Вифлеем как раз ко времени жатвы ячменя. Чтобы прокормить себя и свекровь, добрая и трудолюбивая Руфь идет на поле – подбирать вслед за жнецами колосья. И случайно оказывается, что именно это поле принадлежит родственнику Ноемини – Воозу, порядочному, благородному и обеспеченному мужчине. К тому же неженатому.

Узнав об этом, Ноеминь подсказывает своей невестке, что нужно делать, и вот уже Вооз у городских ворот собрал совет десяти старейшин, и в силу вступает закон левирата: ближайший родственник должен жениться на жене умершего брата и восстановить имя брату своему. И сказал Вооз старейшинам: **«Вы теперь свидетели, что я покупаю у Ноемини все Елимелехово и Махлоново и Хилеоново; также и Руфь Моавитянку, жену Махлонову, беру себе в жену, чтоб оставить имя умершего в уделе его, и чтобы не исчезло имя умершего, между братьями его...» (Руфь 4:9–10).**

И прежде бездетная, рожденная и воспитанная в языческом народе Руфь Моавитянка в день своей свадьбы, находясь среди Божьего народа, получает самый большой подарок, о котором только можно мечтать. Она получает благословение народа и старейшин. Благословение, которое приходит не только от Бога Ноемини и Вооза, но от Того, Кого она избрала быть и ее Богом. Благословение быть подобной Лии и Рахили, благословение домом и детьми. И как Руфь приняла народ и Бога Ноемини, так верой она приняла и это благословение. **«И взял Вооз Руфь, и она сделалась его женою. И Господь дал ей беременность, и она родила сына» (Руфь 4:13).**

> Благословение, которое приходит не только от Бога Ноемини и Вооза, но от Того, Кого она избрала быть и ее Богом. Благословение быть подобной Лии и Рахили, благословение домом и детьми.

А как же Ноеминь? Не успели все привыкнуть к Маре, как она испарилась, вернее, превратилась снова в добрую и счастливую Ноеминь. Как же может быть «горькой» бабушка, держащая на руках такую сладость – новорожденного младенца, своего долгожданного первого внука? И это преображение было настолько очевидно, что, глядя на нее, подруги благословляли Бога и воздавали Ему славу. Они смотрели на Ноеминь, которая была как нянька для малыша, она носила его в своих объятьях, и эта любовь исцелила и восстановила ее сердце. Глядя на помолодевшую Ноеминь, ее соседки говорили: «У Ноемини родился сын». И вырос малыш, и стал отцом Иессея, а потом и дедушкой Давида, и прародителем Иисуса Христа. А что было бы, если бы Ноеминь осталась в Моаве, пребывая в депрессии и горечи?

Книга Руфь – это разбивающая стереотипы история отношений свекрови и невестки. Где еще мы встречали невестку, которая, по словам окружающих их людей, «лучше семи сыновей»? Это история преданности и любви, исто-

> Это история преданности и любви, история взаимоотношений и награды за верность. Но прежде всего это история о Боге, Который дает шанс все начать заново в самых безнадежных ситуациях.

рия взаимоотношений и награды за верность. Но прежде всего это история о Боге, Который дает шанс все начать заново в самых безнадежных ситуациях. История о Боге, превращающем горькие судьбы в счастливые, восстанавливающем потерянное и благословляющем всех, кто Его избирает, – даже попавших под проклятие потомков Лота.

• УРОКИ ЖИЗНИ •

О БОГЕ. Наш Бог – **«Бог, богатый милостью…» (Ефесянам 2:4).** Благословение в том, что выбор нам дается ежедневно. И правильно сделанный выбор сегодня может изменить, искупить и исправить последствия неправильно сделанного выбора вчера. Есть милость и благодать для каждого нового дня. Бог говорит о сегодняшнем дне: **«…по милости Господа мы не исчезли, ибо милосердие Его не истощилось. Оно обновляется каждое утро; велика верность Твоя!» (Плач Иеремии 3:22–23).**

О НАС. «Что делать?» – первый вопрос, который мы задаем себе, столкнувшись с проблемой. Анализ причин и следствий обычно происходит потом, первоначальная реакция связана с эмоциями и действиями, которые необходимо предпринять. В жизни Ноемини наблюдаем два переезда – один из них был ошибкой, второй – решением, исправившим эту ошибку. Есть разница между активной позицией, вызванной тем, что мы берем на себя ответственность, и позицией, вызванной недоверием Богу и поспешными шагами. **«Обдумай стезю для ноги твоей, и все пути твои да будут тверды» (Притчи 4:26).**

О ЖИЗНИ. Плохое случается со всеми, и часто происходящее не зависит от нас. Но то, как мы переживаем это и проходим свои пустыни, – зависит от нас. Горечь – это выбор. После трагедии у кого-то остаются шрамы на месте заживших ран, а кто-то годами ковыряет свои болячки, не давая им зажить.

Боль – часть жизни, но шрамы намного лучше гноящихся под пластырем ран. Не нужно прятать боль или жить в отрицании, нужно «заживать», позволяя Богу исцелять душу и сердце.

Апостол Иаков советует: **«С великою радостью принимайте, братия мои, когда впадаете в различные искушения, зная, что испытание вашей веры производит терпение; терпение же должно иметь совершенное действие...» (Иакова 1:2–4).**

О ТРУДНОСТЯХ. Очень часто, убегая от проблемы, мы убегаем от самих себя. Трудности – это тренажер жизни, предназначенный помочь нам развить слабые места и накачать мышцы характера, которые впоследствии смогут переносить тяжесть обстоятельств. **«Вас постигло искушение не иное, как человеческое; и верен Бог, Который не попустит вам быть искушаемыми сверх сил, но при искушении даст и облегчение, так чтобы вы могли перенести» (1-е Коринфянам 10:13).**

О ЦЕНЕ. «Нет худа без добра», – гласит народная пословица. Руфь заплатила большую цену, последовав за своим сердцем: оставила своих родных, свой народ, преодолела страх и пошла навстречу неизвестности. Эта цена была инвестицией в ее будущее, о которой она никогда не пожалела. Легко говорить и радоваться, как все удачно сложилось, оглядываясь назад, в прошлое. Сложно делать шаг в будущее – в неизвестность, даже если ты чувствуешь, что это правильный шаг. Библия говорит о мудрой женщине: **«Крепость и красота – одежда ее, и весело смотрит она на будущее» (Притчи 31:25).**

13

БАБУШКА. ВЕРНОСТЬ ДО КРАЯ ЗЕМЛИ

«В мире существует единственный выбор: бояться Бога или бояться всего остального, доверять Богу или не доверять ничему».

Филип Янси

Мне 23 года, я впервые прилетела в Америку на конференцию «Молодежь с миссией». Больше всего здесь меня впечатлила природа, необыкновенная красота Британской Колумбии в Канаде, потом Колорадо и, наконец, океан, водопады и вечнозеленые горы западного побережья. Моя первая встреча с Тихим океаном была совсем не тихой – у меня захватило дыхание от резких порывов ветра и от неописуемой красоты огромных холодных волн, разбивающихся о скалы.

На побережье в штате Орегон, в нескольких минутах езды от океана, вижу самые настоящие дюны. Мои американские друзья катают меня на открытом джипе по песчаным склонам. Потом мы ужинаем в Ньюпорте, конечно же, в ресторане «Мос»: там гости обязательно должны попробовать их фирменный суп из морепродуктов – «клэм чаудер» в «миске» из круглого хлебушка.

Какая удивительная жизнь! Совсем рядом, на границе с Орегоном, в Ванкувере, живет, работает и ведет библейскую школу Василий Ярош. Через пару лет мы познакомимся в Киеве, поженимся, потом будем жить в Москве, где родится наша первая дочь Катерина. А еще через несколько лет, уже живя в Америке, с тремя нашими детьми будем приезжать на денек к океану, гулять там при таком же ветре и ужинать в том же ресторане «Мос», и мои дети будут заказывать именно «клэм чаудер» в хлебушке. Но это будет потом. Пока я мечтаю и молюсь о своей будущей семье. Здесь я в гостях на несколько недель.

Я сижу у огромного окна в большом комфортном красном кресле. Уже успела перепробовать все положения спинки кресла, немного полежала, прошла в кафе и заказала чашку кофе и маффин. Поднялась на второй этаж и села пить кофе у такого же огромного, во всю стену, окна. Я путешествую из Орегона в Вашингтон в вагоне поезда «Амтрак». Если бы не быстро сменяющие друг друга необыкновенной красоты пейзажи за окном, не поверила бы, что еду в поезде. Не слышно привычного «чух-чух, чух-чух», не покачивается вагон, и не дребезжат железные ложки в стеклянных стаканах в подстаканниках.

Почему так плавно и тихо едет поезд? Я, конечно, не против вот так сидеть у окна с кофе, проезжая столицу Орегона Сейлем, и вспоминать, сколько раз ездила в поездах, – редко в купе, чаще с группой студентов библейской школы в плацкарте. Незаметно память вернула меня на много лет назад, еще до моих поездов, и даже до той первой поездки в цирк на электричке с папой, до моего рождения. Воображение стало рисовать картины, навеянные папиными рассказами о его первой и очень долгой поездке в поезде.

Осень 1961 года, железнодорожный вокзал города Новочеркасска, пригород Ростова-на-Дону. Красивая женщина немного старше 30 лет с огромным трудом вошла в вагон. Она была буквально обвешана детьми и сумками с вещами, одной рукой прижимая к груди большой сверток. У нее что, тройня? Или две тройни – три мальчика постарше и три маленькие девочки?

Когда они, наконец, нашли свои места, угомонились и сели все на одну полку рядом с мамой, их можно было рассмотреть поближе и пересчитать. Три мальчика, похожие на тройню, на самом деле погодки – Петр, Павел и Владимир – 10, 9 и 8 лет соответственно. Девочки Лия, Люба и Вера рождались через каждые два года, – им 6, 4 и 2 годика. Женщина развязала шерстяной платок, поправила взмокшие пряди волос и осторожно положила сверток, который все время прижимала к груди. Из свертка донесся слабый писк – там был младенец Яков, туго запеленатый в одеялко.

Через несколько часов весь вагон уже знал, что женщина эта из «баптистов», или «сектантов», и едет с детьми к мужу-пресвитеру в Сибирь, куда он сослан после тюремного заключения на пять лет каторжных работ.

Куда путешествует эта женщина с такой оравой детей? Где ее муж? Имея таких малышей, стоило купить билеты если не в купе, то хотя бы в плацкарт. Общий вагон – это не подходящие для детских ушей разговоры, дым сигарет, да и просто антисанитария. Через несколько часов весь вагон уже знал, что женщина эта из «баптистов», или «сектантов», и едет с детьми к мужу-пресвитеру в Сибирь, куда он сослан после тюремного заключения на пять лет каторжных работ. Семь суток в поезде до Томска с остановкой в Новосибирске, где нужно перекомпостировать билеты. Семь суток и семеро детей.

Сегодня я пытаюсь представить себе недельное путешествие в поезде с семью детьми пятьдесят пять лет назад. Обычно я пишу себе списки, когда готовлюсь к поездкам, особенно когда детки были помладше, – это необходимо. В списке полувековой давности, естественно, не могло быть памперсов, влажных салфеток, водички в пластиковых бутылочках, всевозможных перекусиков и детского питания, бутылочек с подогревом, рюкзачков для каждого ребенка, полных их игрушек, личных вещей и вкусняшек. Это не был отпуск, на который они копили деньги. Они уже забыли, когда была последняя зарплата, но помнили, как мама взяла несколько старших детей на свидание к папе в тюрьму, и они купили ему на базарчике клубнику. Мой 65-летний папа, кажется, до сих пор помнит запах этой клубники, вид суровых охранников и очень короткое свидание, оставившее их в еще большей неопределенности относительно папиной судьбы.

Папа рассказывал, что весь поезд кормил их эти семь дней поездки туда, а спустя год – обратно. Попутчики – простые люди, едущие самым дешевым поездом в далекую холодную Сибирь. У каждого из них – своя судьба и своя история, и у большинства – добрые сердца. Наверное, всегда так было? Чем проще и беднее люди, тем добрее они и сердобольнее.

У каждого из них – своя судьба и своя история, и у большинства – добрые сердца. Наверное, всегда так было? Чем проще и беднее люди, тем добрее они и сердобольнее.

Потом была долгая остановка в Новосибирске, забитый людьми очень холодный вокзал и какие-то сложности с билетами. Система была такая, что нужно было перекомпостировать уже существующие билеты, чтобы ехать дальше. Все устали, дети плакали, и тихо плакала их мама. Такая тихая и беспомощная, она бесконечно долго ждала в очередях и смиренно просила помочь им, переходя от окошка к окошку. И после всего этого перемерзшие и голодные дети были рады снова оказаться в поезде, от которого уже так устали за несколько дней. Но все познается в сравнении, и трястись в поезде оказалось не так плохо, как ждать в холодном вокзале под непрекращающиеся громкие объявления: «Поезд такой-то прибыл на второй путь. Отправление во столько-то часов столько-то минут».

Осенний Томск встретил их сильным морозом и глубоким снегом. Это были не сугробы, это были целые снежные горы, а расчищенные тротуары напоминали лабиринты со стенами выше человеческого роста. В Томске мать, мою бабушку, с детьми приютили на пару дней христиане – семья Орловых, они же помогли найти такси. В конечный пункт назначения – поселок Молчаново Томской области, добраться можно было двумя способами: пароходом по реке Обь летом или на машине по «зимняку», когда замерзали все болота.

Дети с восторгом забрались на заднее сиденье «Волги», мама с малышом – впереди, рядом с водителем такси. Эту поездку в 200 километров, на которую ушло шесть или восемь часов, большинство детей будут помнить всю свою жизнь. В глубоком снегу по бездорожью машину бросало из стороны в сторону, их всех укачало, детей рвало до изнеможения. Водитель останавливался, они, бледные и обессиленные, вываливались из машины и просто ложились лицами в снег при дороге, немного приходили в себя и ехали дальше. Ехали навстречу лютым зимним морозам и тучам мошек и комаров душным летом, ехали в необустроенный барак, где их приезда никто не ждал.

Семья воссоединилась, они были все вместе и поэтому чувствовали себя счастливыми! Вскоре им выделили отдельную комнату, вместо той, где вместе с папой жили еще трое ссыльных мужчин. Мальчиков определили в школу, они быстро вошли в контакт с местными и нашли друзей. В поселке было несколько верующих женщин, которых очень обрадовала возможность собираться на служение, где мой дедушка-служитель мог преподать хлебопреломление и проповедовать Слово Божье.

Село Молчаново было основано русскими казаками Молчановым и Лавровым в 1790 году. Позже там была построена православная церковь, библиотека, она же изба-читальня, несколько небольших заводов. В 1928-м, после прямого распоряжения Сталина о начале раскулачивания, Молчановский район стал частью ГУЛАГа. В 1927–1929 годы появился Молчановский леспромхоз, на котором работали в основном заключенные (зеки) Сибулона (позднее – Сиблаг ОГПУ/НКВД) и спецпереселенцы, поставлявшие лес на Молчановский лесозавод.

Поселок расположен в глубине бескрайней тайги. Все вокруг построено из дерева, включая дороги, то есть тротуары на сваях, высоко поднятые над болотистой землей. Но видно их было только тогда, когда сходил снег, с осени по весну все передвигались по узким коридорам вдоль высоченных стен из снега.

Трое братьев стояли весной на берегу величественной Оби. Но разве это река? Она больше похожа на море или огромное озеро в полтора километра шириной, с едва различимыми деревьями на другом берегу. Впервые в своей жизни они видели ледокол и наблюдали, как с громким скрежетом он разрезает метровой толщины лед, и огромные глыбы, карабкаясь друг на друга, нехотя уступают дорогу железной махине. Весной лед поплыл по реке, но на изгибе огромные льдины образовали затор, создав огромный искусственный айсберг. Прилетали самолеты и сбрасывали бомбы, чтобы спасти окрестные деревни от затопления, – Обь широко растекалась во все стороны.

Солнце поднималось все выше, пришло тепло, и тайга-кормилица проснулась. Однажды местные мальчишки пригласили детей из семьи «сектантов» переплыть Обь на лодке, чтобы нарвать в тайге свежего дикого чеснока. К тому времени, как они решили возвращаться обратно, небо затянуло темными тучами, приближалась частая в тех местах гроза. На реке поднялись огромные волны, мальчишки яростно гребли веслами, а на берегу стояли перепуганные матери, пытаясь разглядеть маленькую лодочку, которую бросало, как щепку. По крайней мере, одна из матерей молилась о них – Бог по ее молитвам сохранил детей в той буре. Впереди ждет еще много бурь, через которые будут проходить ее сыновья и дочери, и их мама всегда будет молиться о своих детях – день за днем, год за годом, терпеливо ожидая их, как тогда на высоком берегу Оби.

Лето было настолько же жарким, насколько морозной была зима. Только зимой не было тысяч мошек, которые, казалось, оберегали лесные богатства, выгоняя оттуда отважных гостей. Дедушка и бабушка жили впроголодь, они прекрасно понимали, что детям не хватает витаминов, и поэтому заставляли ходить в лес за ягодами: очень полезными голубикой, брусникой и клюквой. Хотя казалось, что количество крови, выпитой комарами, превышало количество съеденных ягод и полученных витаминов.

Пришла вторая осень, и начался новый учебный год. К этому времени семья Окара уже проживала в отдельной квартире. Однажды к ним пришла комиссия из районо, их целью было удостовериться, что родители могут обеспечить достойные условия проживания своим детям. Это было то страшное время, когда в перечень методов борьбы с верой в Бога входила и защита детей от «растления религией», от «опиума для народа». Власти находили повод, чтобы забрать детей из многодетных христианских семей и затем распределить их в разные детские дома по всему огромному Советскому Союзу. Их целью было воспитать детей комсомольцами и достойными членами коммунистического общества, полностью исключив возможность их общения и поддержки друг друга.

Бабушка и дедушка знали, что совсем недавно это случилось с семьей знакомого им служителя Белоусова из небольшого городка в Ростовской области: всех их детей забрали и распределили по детским домам, оставив родителям только дочь Наташу. Дедушка и бабушка молили Бога о защите и охране и получили ответ на свои молитвы.

Был обычный осенний день, начинались заморозки, и вот уже скоро Обь станет, скованная льдом на следующие несколько месяцев до весны. Где-то далеко от бараков ссыльных проходило закрытое совещание. Поздно ночью в дверь квартиры, где жили дедушка и бабушка, тихонько постучали. В полумраке в маленькую прихожую зашел незнакомый им чиновник. Шепотом он сразу сообщил о том, что было совещание в правлении и принято решение конфисковать детей ссыльного Николая Владимировича Окара по причине того, что родители не в состоянии обеспечить им удовлетворительные условия. И все.

Уходя, он, ни к кому не обращаясь, сказал, что утром из Молчанова отправляется последний пароход в Томск. Таким был прошедший без знакомства и без чашки чая очень короткий визит, изменивший так много. Ни дедушка, ни его дети так никогда и не узнали, кем был этот человек и почему он решил предупредить ссыльного верующего. Да, он был один из них и сам участвовал в этом совещании, но для этих родителей-христиан он был посланником от Бога.

Да, этот человек был одним из них и сам участвовал в этом совещании, но для этих родителей-христиан он был посланником от Бога.

Времени для раздумий не оставалось. Все понимали, что до зимних морозов из поселка не выбраться, можно только речным путем. Или дорога зимой, или река летом, – а последний пароход уходит рано утром. На сборы времени было мало. Бабушка схватила то, что попало под руку, дети молча одевались под шепот и слезные молитвы родителей. Потом было прощание с отцом и мужем, который ранним серым утром одновременно с болью в сердце и с радостью смотрел на отплывающий в Томск пароход.

В Томске их снова встретили и приютили Орловы, местная община помогла бабушке деньгами на билеты на поезд, и опять долгая дорога. Семь дней – одна женщина и семеро детей. Они уезжали, не зная, когда увидятся снова, как выживут сами. Но все же доверяли Богу и верили, что так нужно, и что все – к лучшему.

Наверное, за эту долгую дорогу, за эту неделю, под стук колес, в редкие минуты покоя бабушка передумала много дум. Какой она представляла свою жизнь, когда выходила замуж за молодого человека, художника, с хорошим чувством юмора? Потом он стал служителем, она стала мамой, и очень скоро – многодетной мамой. Жизнь и быт были достаточно тяжелыми, но это было ничто по сравнению с постоянными угрозами, облавами и арестами.

Нельзя было брать детей на служения, которые проходили каждый раз в новом месте, по домам, обычно очень ранним утром. Власти предупреждали дедушку несколько раз, но он повторял вслед за апостолом Павлом: «Горе мне, если не благовествую». Так бабушка осталась одна с детьми. Впрочем, не совсем одна, рядом всегда была ее мама, наша прабабушка Оля, очень сильная женщина. Благодаря ей они и выжили. Прабабушка Оля и прадедушка Федя держали курочек, кроликов и еще какое-то хозяйство. Бабушка вязала шерстяные носки и продавала их. Помогала дочери и внукам чем могла.

Правильно ли поступила бабушка, поехав к мужу в Сибирь? Стоило ли так рисковать? А если бы у них забрали детей и расселили по интернатам в разных городах огромного Советского Союза? Об этом лучше не думать. Она поехала за мужем, чтобы быть рядом с ним и чтобы дети были рядом со своим отцом. Она обещала ему быть рядом и в радости и в горе. Для нее это был вопрос верности, и это было единственно верное решение. Этой поездкой она не только проявила свою верность, они с мужем стали свидетелями великой верности Бога, позаботившегося об их семье.

Она поехала за мужем, чтобы быть рядом с ним и чтобы дети были рядом со своим отцом. Она обещала ему быть рядом и в радости и в горе. Для нее это был вопрос верности, и это было единственно верное решение. Этой поездкой она не только проявила свою верность, они с мужем стали свидетелями великой верности Бога, позаботившегося об их семье.

Моя бабушка – Валентина Федоровна Окара. Сейчас ей 90 лет, и живет она в прекрасном вечнозеленом Вашингтоне, недалеко от Канады, куда ее забрали дети через несколько лет после смерти дедушки.

Дедушка вернулся из ссылки, у них родились еще дети, всего одиннадцать – шесть сыновей и пять дочерей. Гонения закончились, община приобрела молитвенный дом, пришло время, когда стало возможно проводить евангелизации. Церковь росла и укреплялась.

Дедушкины сыновья выросли, начали служить вместе с отцом, многие стали пасторами в других городах. Бабушка получила медаль и почетное звание «Мать-героиня», которого тогда удостаивались матери, имеющие десять и более детей. Они «получили» комфортную трехкомнатную квартиру, которая была самой активно посещаемой во всей девятиэтажке, – благо, что на первом этаже. Когда количество детей, невесток, зятьев и внуков перевалило за сотню, дедушка начал составлять списки и нарисовал семейное дерево, на котором очень часто добавлял веточки и листочки с именами новых членов огромного семейства.

Каждый из их детей проходил свой путь, не у всех он был гладким. Пришло время, и гонения закончились, но никогда не прекращались атаки со стороны врага на тех, кто был призван стать служителями Бога Живого. Бабушка и дедушка постились и молились за каждого из своих детей, снова и снова посвящая их Богу. Они держались за обещание и исповедовали его: «А я и дом мой будем служить Господу!» И все дети несут служение!

Можно много рассуждать о том, когда и как бабушка смогла передать живую веру своим детям. Она не получила хорошего образования, всегда была простой, смиренной, доброй и очень уставшей. И мне кажется, что всему хорошему дети научились не благодаря ее словам, а наблюдая за ее жизнью. Эти уроки были преподаны не красноречиво и пафосно, а на примере своей жизни. Глядя на нее, дети видели огромную внутреннюю силу и непоколебимую веру, побеждающую страх и сомнения. Эта вера помогла ей совершить очень рискованное долгое путешествие с маленькими детьми – навстречу неизвестности. И в своей вере она полагалась не на слепой случай, а на то, что всегда рядом с нею находится Верный и Всемогущий Бог.

Бабушка не получила хорошего образования, всегда была простой, смиренной, доброй и очень уставшей. И мне кажется, что всему хорошему дети научились не благодаря ее словам, а наблюдая за ее жизнью.

• УРОКИ ЖИЗНИ •

О БОГЕ. Бог Отец сказал о Себе: **«Отец сирот и судья вдов Бог во святом Своем жилище» (Псалом 67:6).** Приходя к Богу, мы находим так много в Нем. Мы принимаем Иисуса Христа как своего Спасителя от грехов и потом познаем Его как Друга и Брата. Мы будем бесконечно открывать для себя новые грани Троицы – и здесь, на земле, и в вечности. Но, обращаясь к страницам Евангелия, мы находим, что Сын Божий Иисус в Своем учении знакомит нас с Богом именно как со Своим Отцом. И потом Иисус называет нас братьями Своими, открывая чудесную истину: Бог – наш Отец! Мы все были сироты без Него, но через Иисуса мы усыновлены и удочерены в семью самого доброго, любящего и заботливого Отца во Вселенной.

О НАС. О том, кто мы на самом деле, наши дела и наша жизнь говорят намного громче, чем наши слова. Если мы называем себя верующими в Бога людьми, то вера проявляется и проверяется доверием Богу. Вера – она не только в сердце, она проявляется в наших реальных решениях и действиях. Есть вера в существование Бога, в то, что «Бог есть», но живая вера – это когда мы принимаем верой библейские истины о Боге, о жизни, о нас самих, и это руководит нами в мыслях, решениях и поступках. **«Ибо, как тело без духа мертво, так и вера без дел мертва» (Иакова 2:26).**

О ЖИЗНИ. Одна из самых непостижимых, противоречивых и сильных вещей на свете – это любовь матери. Она похожа на Божью любовь, она безусловная: одинаково влечет и к доченьке понянчить малышей, и к сыну-наркоману в тюрьму. **«И сотворил Бог человека по образу Своему, по образу Божию сотворил его; мужчину и женщину сотворил их» (Бытие 1:27).** В женщине образ Божий находит более полное отражение, когда она становится матерью и познает безусловную и бесконечную любовь к своему ребенку.

О МОЛИТВЕ МАТЕРИ. Пост и молитва – огромная сила, и очень часто – единственное наше оружие. Дети вырастают, становятся самостоятельными в решениях и поступках, и уже не во власти родителей изменить многое. Как горько и больно видеть последствия неверного выбора детей, их ошибки и путь через тернии. Но материнская любовь не сдается, продолжая верить и молиться годами и даже десятилетиями, – и это самое большое, что она может сделать для своих детей. **«Делая добро, да не унываем, ибо в свое время пожнем, если не ослабеем. Итак, доколе есть время, будем делать добро всем, а наипаче своим...» (Галатам 6:9–10).**

О ВЕРЕ. Передать другим можно только одну веру – живую. Единомышленники могут разделять с нами какие-то убеждения до первых испытаний, а там каждый сам себе выбирает принципы жизни. Живая вера становится частью души, она пульсирует в венах и, проходя испытания, не сгорает в огне, а закаляется и становится только сильнее. **«...дабы испытанная вера ваша оказалась драгоценнее гибнущего, хотя и огнем испытываемого золота, к похвале и чести и славе в явление Иисуса Христа...» (1-е Петра 1:7–9).**

14

БЕГ В РЕЖИМЕ ЗАМЕДЛЕННОГО ДЕЙСТВИЯ. ДВА ГОДА НАЗАД

Несколько лет назад моя хорошая подруга начала бегать. «Поздновато в нашем возрасте начинать спортом заниматься», – рассуждали мы с подругами на женской ячейке за чашкой чая с десертом, услышав эту новость от Юли. Но ее совсем не смутили наши разговоры. Она подарила нам книги о здоровом питании и продолжала упорно заниматься. Года через два-три Юля пробежала свой первый марафон, а потом сама организовала пару больших благотворительных забегов.

Этим она меня убедила. Оказывается, никогда не поздно начинать что-то новое. Меня манила нереальная, казалось, мечта – пробежать марафон. Кроссовки купила, теперь осталось начать бегать, тренироваться. Но вот никак не получалось начать. Нужно просто организоваться – найти время, изменить расписание, раньше ложиться спать и раньше подниматься. И все равно никак. В конце концов, мне пришлось признаться самой себе, что это невозможно, потому что я уже бегу, я в активном забеге. А один человек не может бежать два марафона одновременно.

В декабре мне исполнилось 40 лет. Серьезно, это я о себе? Небольшая нестыковка с тем, что я вижу в зеркале и на сколько лет я ощущаю себя. Да ладно, это же просто цифра. Круглая дата или некруглая – в любом возрасте можно анализировать жизнь и подводить итоги. И все равно, пару ночей я лежала без сна и много думала. Я прислушивалась, как по-разному сопят-дышат в своих комнатках мои девочки и сын. Периодически прижималась к мужу и думала: какой же он родной и хороший, и как сильно я его люблю. Прокручивала в голове последние годы – дети подросли, уже все ходят в школу... не представляю, как я выдержала эти годы с тремя малышами-погодками, притом что работала и занималась служением.

Мелькали перед глазами самые яркие моменты – самые большие радости и переживания. Астма у Пола – страшные ночи, когда держишь ребенка, полусидя на подушках, и невольно глубоко вдыхаешь за него, а он все равно не может продышаться. Катерина играет на фортепиано для меня «Лунную сонату» Бетховена.

На улице солнечно, и мы все идем пешком в маленький парк рядом с нашим домом.

У нас появился кот Марс, наше первое домашнее животное. Несмотря на все мои запреты, Арианна все равно целует его. Мы сидим на берегу океана, и я останавливаю эту гонку внутри себя. Смотрю на бегающих по щиколотку в ледяной воде детей и стараюсь насладиться этим моментом. К приезду гостей прошу мужа заехать в магазин за салатом, а он привозит огромный букет красных роз для меня. Так много всего в жизни, и как это все помещается в такие короткие дни и недели?

Тяжелое утро – все просыпаются с трудом, а я еще и с головной болью. Дети уставшие, у меня чувство вины (гости задержались, и дети легли очень поздно), нужно помочь им одеться, мне собраться на работу и приготовить завтрак. Я пакую три снека и три ланча в школу, подгоняю всех, проверяю наличие домашних заданий в рюкзаках. Быстрая молитва всей семьей – и бегом в машину. Мы почти опаздываем, машина тянется в медленной очереди на подъезде к школе, высаживаю детей у входа, по три поцелуя каждому, и следующие двадцать пять – тридцать минут я одна в машине. Лечу на работу. Я работаю бухгалтером в небольшой компании в Портленде. Полчаса дороги туда, пять с половиной часов в офисе, и обратно из Орегона в Вашингтон за детьми в школу.

Мы дома, и я тороплю детей: у нас всего пара часов между школой и следующим забегом. Всем поесть, сделать уроки, позаниматься музыкой, почитать – и мы выезжаем.

В зависимости от дня недели, мы едем в церковь, на гимнастику, на ужин к друзьям, посетить кого-то из церкви, на день рождения, в магазин, на уроки пиано, сейчас у всех так – каждый день расписан. Уборка, стирка, готовка – в промежутках между «забегами» или когда дети спят. И параллельно телефонные звонки и смс.

Моменты наслаждения жизнью, когда они выдаются, похожи на судорожное глотание воздуха ныряльщиком после рекордного времени, проведенного под водой. Максимум эмоций, глаза устремлены вверх, мозг ловит и запечатлевает каждую деталь: голубое небо, огромное белое облако, елки на берегу. Еще один большой вдох, как можно больше запастись кислородом, наполнить легкие, закрыть глаза – и снова нырять в глубину. Глубокие воды дел, забот, тревог, чьих-то проблем, боли, обид. Так хочется помочь другим, да и мне самой так хочется все успеть. Еще больше успеть, еще больше поговорить, услышать, увидеть, сделать.

Ах да, я же хотела начать бегать. Сейчас нет сил. И вообще некогда. Стоп, «некогда» не прокатит. Никто не обделен, нам всем выдают одинаково и справедливо по двадцать четыре часа в сутки. Значит, нужно что-то менять. Обычно тормоза включаются в больнице или «у разбитого корыта». Я останавливалась не постепенно, а так же, как жила – от всей души, – на полной скорости, педаль «до пола» и юзом.

Несколько лет назад застрял камень на выходе из почки, и при операции еще обнаружили образование в другой почке. Опухоль оказалась доброкачественной. Господь милостив. А прошлым летом снова шли камни, но это уже меня не беспокоило. Я ждала результаты анализов случайно обнаруженной на УЗИ опухоли в печени, которая была очень похожа на что-то плохое. И тоже все резко остановилось. Много было раздумий.

Помню тот очень долгий июньский день, когда нам должны были перезвонить из больницы. Весь день я не выпускала телефона из рук. А позже, вечером, мы сидели с мужем вдвоем на диванчике в беседке и просто молчали. Мне позвонили за десять минут до закрытия клиники: образование в печени оказалось простой гемангиомой. Мы просто крепче обнялись и продолжали сидеть.

Жизнь прекрасна, и в ней так много всего: у меня чудесный муж, прекрасные детки, самые лучшие родители, сестры, братья, очень много классных друзей. А я чувствовала себя как в центрифуге стиральной машины в режиме «отжим». Но это только носки и футболки предназначены быть «выжатыми», а я нет.

Сбавь скорость. Мне срочно нужно «очистить» свою жизнь от второстепенного, от срочного, но неважного, просто закрыть себя для чего-то.

И мне на память приходят много раз слышанные, однако сейчас зазвучавшие набатом слова Самого Бога: «Остановитесь и познайте, что Я Господь». Но я знаю Господа, Он – моя сила, моя радость и помощь. И даже в этой центрифуге Он всегда со мной. Сколько раз серым дождливым утром, высадив детей у дверей школы, я проводила следующие двадцать пять минут с Ним. Иногда Его присутствие в моей машине было таким реальным и физически ощутимым, что я говорила мужу: «Сегодня на работу Иисус вот здесь на пассажирском сиденье ехал со мной».

И все равно Он говорит мне: «Остановись. Остановись и осознай, что Я – Господин твоей жизни. Всё и все под Моим контролем – расслабься, детка, и наслаждайся жизнью». А как же марафон? Как же все успеть? И как в этом забеге не пропустить самого главного, не пропустить самой «жизни»? Не очнуться, когда дети выросли, а мы с мужем постарели.

Остановись. Дыши ровно. Принимай благодать. Живи. Как в замедленной съемке, успей разглядеть каждую деталь, оценить красоту, насладиться вкусом, услышать каждого ребенка, увидеть их рисунки, понять их душу.

Жизнь – это забег в любом случае. Это марафон. Павел говорил Тимофею, что бежать нужно так, чтобы получить награду. И мне кажется, я начинаю понимать, что нужно делать это налегке: не грузиться негативом, не брать на себя лишнего и чужого, не переживать о том, что думают или говорят люди.

И видится мне, что награда в этом забеге – это больше, чем медаль после «финиша». Награда – это еще и сам процесс, то, что я вижу и слышу в пути, те, кто идут рядом со мной; то, кем я могу быть для них. Но, чтобы я могла наслаждаться жизнью, этот марафон мне нужно бежать в режиме «замедленной съемки».

И, наверное, недолго осталось пылиться моим кроссовкам?

ЗАКЛЮЧЕНИЕ

МАРАФОН

Мне 42 года. Кажется, я всю жизнь «бегу». Я не могу иначе. Если честно, наверное, я просто не хочу по-другому. Кажется, я прокисаю в размеренности и тишине. Но теперь я научилась бежать налегке, наслаждаясь своим жизненным путем и теми, с кем я рядом.

А еще уже чуть больше года я бегаю в буквальном смысле этого слова! Всю свою сознательную жизнь я говорила, что спорт – однозначно не для меня, не смела даже мечтать, что когда-то в жизни начну активно двигаться, и тем более не могла представить, что бег доставит мне столько удовольствия. Со мной всегда наушники и телефон, в котором бездна богатства и премудрости: классных подкастов, проповедей и чудесных песен!

А рядом всегда Тот, с Кем хочется общаться. Пробежки стали моим молитвенным часом, моей тайной комнатой под открытым небом – иногда прямо под дождем, в парке или просто несколько кругов по нашему району. Но так стало несколько месяцев спустя, а на первые мои пробежки, наверное, смотреть было одновременно смешно и больно. Помню первую милю, которую я пробежала без остановки, потом первые три, потом пять. Мой первый забег – 15 километров, а потом мы с моей сестрой Ирочкой записались на наш первый полумарафон – прямо перед Пасхой, в субботу.

Решив совместить приятное с полезным, или, вернее сказать, добавить к полезному полезное, мы написали на своих футболках «Христос воскрес!» и «Иисус живой» и пробежали эти 13,1 мили вместе, – и это была Его победа. Но если уж мы начали бегать, то нужно и марафон осилить, и, преодолев свои сомнения и страхи, я решилась. Никому, кроме семьи, не сказала об этом, оставив себе путь к отступлению, если передумаю или сойду с дистанции на полпути.

8 октября 2017 года. Настоящий забег, 49-й Ежегодный портлендский марафон и лично мой самый первый. Раннее прохладное утро, перекрытые дороги в центре города, много музыки и необычное оживление в такой ранний час. На груди – табличка с номером и моим именем, на кроссовках – чип, который будет считываться на промежуточных пунктах каждые несколько миль.

Я с сестрой стою в тысячной толпе. Необыкновенный прилив энергии и эмоций просто от вида сотен и тысяч людей с такими же, как у нас, номерками на груди, разогревающихся перед стартом. Я вижу их в первый и, возможно, в последний раз в жизни, но сейчас у нас так много общего: следующие четыре-пять-шесть часов мы все будем двигаться в одном направлении, к одной цели. Нам всем будет тяжело, и каждого из нас будет ждать на финише награда – не только медаль, но и великолепное ощущение победы и достигнутой цели.

Первые метры и даже мили я полна сил и энтузиазма. Шаги легкие, на носочках, колени высоко, осанка правильная, рот растянут в улыбке, а в руке – телефон, считающий шаги и мили. У нас еще есть силы болтать с Ирочкой, шутить, говорить о детях и о том, как все-таки классно, что мы бежим вместе! Впереди нас бежит женщина в футболке с картой Америки на спине, на которой обозначены границами все пятьдесят штатов. Большинство из них уже заполнены названиями и датами, и мы понимаем, что она участвует в марафонах, проводимых в каждом штате. Неплохая идея, думаем мы, наивно мечтая пробежать следующий марафон в другом штате. Но это все было в первый час, а потом бежать становилось сложнее и разговаривать нам хотелось все меньше.

Самое удивительное во всем этом новом для меня опыте, самые яркие впечатления от забега – это не столько мои ощущения, сколько совершенно неожиданная для меня поддержка болельщиков! Буквально сотни и даже тысячи людей вышли на улицы в тот день – они стояли вдоль дорог, по которым мы бежали. Когда наш маршрут проходил через жилой район, целые семьи расставляли стулья, столики с едой, включали музыку и сидели у дороги.

Многие держали в руках или выставляли стенды с плакатами, на которых было написано столько слов ободрения! «Я не знаю тебя, но я верю в тебя», «Ты сможешь», «Только вперед!» А еще они все хлопали нам, когда мы пробегали мимо, то есть они хлопали, свистели, кричали, делали комплименты – все время! Нигде и никогда за тринадцать лет жизни в Америке я не видела такого. Да, американцы вежливые, тактичные и умеют улыбаться, но здесь я увидела что-то совершенно другого уровня: мне казалось, что они лично заинтересованы, чтобы все эти сотни и тысячи бегунов осилили сорок два километра!

Середина марафона – мы уже сняли верхние кофты, выбросили их, чтобы облегчить себе хоть немного бег. Я чувствую, что натерла ноги и надо бы сделать небольшую остановку на пару минут. Каждые несколько миль мы пробегаем через живой коридор волонтеров, держащих наготове маленькие одноразовые стаканчики с водой, электролитами и тюбики с энергетиками. Можно пополнять потраченную энергию, не останавливаясь. И только после большого количества выпитых маленьких стаканчиков, когда пришлось остановиться на пару минут, я поняла, насколько сильно устала, и подумала, что вряд ли мои негнущиеся после нескольких минут простоя ноги смогут снова двигаться. Но я не одна, Ирочка начинает идти, потом бежать – и я за ней!

Во второй половине марафона мили и минуты тянутся намного дольше и даются тяжелее, чем ранним утром. В голове уже рисуются диалоги, как мама объяснит детям, что не хватило сил добежать. Но они будто чувствуют и звонят мне, такие радостные и вдохновленные! Они все трое кричат наперебой по громкой связи: «Мамочка, мы верим в тебя, ты сможешь, ты у нас самая спортивная и сильная!» – и еще много-много признаний в любви и слов вдохновения. У меня ком в горле, и хочется плакать – то ли от сильной усталости, то ли от того, что они так растрогали меня своей любовью и поддержкой. И мы бежим дальше.

А потом мы видим впереди машину «скорой помощи» и носилки, кому-то из участников забега стало плохо, и его увезли. Господи, помилуй. Мы приближаемся к концу забега. Последние мили, но кажется, что мне уже все равно, добегу я до финиша или нет, я просто хочу остановиться, а вообще – я хочу домой, к мужу и детям. Я едва чувствую свои ноги, и мои мозоли уже превратились в раны – стопы пекут, колени отказываются столько тысяч раз подряд сгибаться и разгибаться. Девочка, которая бежит рядом, говорит: лучше бы я родила еще раз! Мы устало смеемся вместе с Ирой и не даем друг другу остановиться.

А еще вдоль дороги все так же стоят они – волонтеры-болельщики. Стоят с раннего утра, уже несколько часов подряд. Наверное, читая мои мысли по выражению моего лица и усталому бегу, они выбегают на дорогу, смотрят нам в глаза, улыбаются и кричат: «Давай, только вперед, вы почти на финише, осталось совсем немного!»

И я смотрю на этих тетенек и дяденек, и просто ком в горле, и уже невозможно сдержать слезы: они же меня совершенно не знают, почему им не все равно, добегу я или нет? Они сами-то хоть раз пробежали марафон? Я их не знаю, но я так тронута каждым словом, плакатом, который они держат, музыкой, которую они включают, подбадривая нас. И еще растрогана просто тем, что они стоят уже столько часов и своим присутствием говорят: верной дорогой бежите, товарищи, – финиш впереди!

Мне кажется, вернее, я точно знаю, что мои силы на исходе, но я смотрю на тех, кто впереди меня, и снова и снова ставлю одну ногу перед другой и продолжаю двигаться. Вперед. Периодически я оглядываюсь назад и вижу тех, кто бежит за мной. Я не могу сойти с дистанции, они смотрят на меня и бегут следом. Мы все идем к финишу, нас всех ждет награда, мы пересечем эту заветную линию под громкую музыку и услышим наши имена из громкоговорителя под крики восторга и поздравлений наших родных, которые ждали нас на финише с большой любовью и гордостью за нас.

Это – иллюстрация облака. Моя жизнь – это не только мой забег, но и тех, кто идет за мной. Пока мы дышим, пока живем – мы все в пути, и мы можем учиться друг у друга.

Вокруг тебя – облако свидетелей, тех, кто болеет за тебя, свистит и кричит слова ободрения с трибун: некоторые – со страниц Библии, другие – это наши современники, знакомые, родные, друзья. Только оглянись вокруг, ты – не один, есть поддержка и вдохновение, ты – в облаке! И когда ты всмотришься в окружающих, то заметишь, что кто-то из них смотрит на тебя! Они тоже нуждаются в ободрении и поддержке. Им нужны примеры простых маленьких будничных подвигов и шагов веры в обычных делах каждого дня.

Для кого-то ты и твоя жизнь – свидетельство и пример веры, надежды и любви.

Ты – чье-то облако.